anagramma

1046

Titolo originale: *Solitaire*
Originally published in English by HarperCollins Publishers Ltd
under the title: *Solitaire*
Copyright © Alice Oseman 2014
Translation © translated under licence from HarperCollins Publishers Ltd.
Translation © Newton Compton editori 2015
The author asserts the moral right to be identified as the author of this work.
All rights reserved.

Traduzione dalla lingua inglese di Nicoletta Sereggi e Costanza Rodotà
Seconda edizione: maggio 2022
© 2015 Newton Compton editori s.r.l., Roma

ISBN 978-88-227-7175-9

www.newtoncompton.com

Realizzazione a cura di Il Paragrafo, Udine
Stampato nel maggio 2022 da Puntoweb s.r.l., Ariccia (Roma)

Alice Oseman

Solitaire
Senza nuvole

Newton Compton editori

Per Emily Moore,
che mi è stata vicino fin dall'inizio

«E il vostro difetto è una tendenza a vedere tutti in cattiva luce».

«Il vostro», rispose Darcy con un sorriso, «quello di misconoscere tutti volontariamente».

Jane Austen, Orgoglio e pregiudizio

PARTE PRIMA

ELIZABETH BENNET: Danzate, signor Darcy?
IL SIGNOR DARCY: No, se ne posso fare a meno.

Orgoglio e pregiudizio (Film, 2005)

Uno

Mentre entro nella sala comune, mi rendo conto che la maggior parte delle persone qui è quasi morta, me compresa. So per certo che le depressioni postnatalizie sono del tutto normali e che dopo il momento "più felice" dell'anno ci si dovrebbe ritrovare in qualche modo insensibili, eppure adesso non mi sento tanto diversa da come stavo alla Vigilia, a Natale o in qualsiasi altro giorno dall'inizio delle vacanze. Eccomi ora di ritorno ed è un altro anno. Non succederà niente.

Resto in piedi. Becky e io ci guardiamo.

«Tori», dice lei, «hai la faccia di una che pensa al suicidio».

Becky e le altre del Nostro Gruppo sono stravaccate sulle sedie girevoli poste intorno agli schermi dei PC della sala. Dato che è giorno di rientro, c'è stato un gran daffare di trucco e parrucco nell'intero *sixth form*, l'ultimo biennio, e di colpo mi sento inadeguata.

Mi affloscio su una sedia e annuisco filosoficamente. «È buffo perché è vero».

Mi guarda un altro po' ma in realtà non mi vede e ridiamo di qualcosa che non è divertente. Allora Becky capisce che non sono in vena di fare niente e si allontana. Appoggio la testa alle braccia e quasi mi addormento.

Mi chiamo Victoria Spring. Credo dovreste sapere che mi costruisco in testa un sacco di cose che poi mi rattristano. Mi piace dormire e mi piace bloggare. Un giorno o l'altro morirò.

11

Ora come ora, Rebecca Allen è forse la mia unica vera amica. E probabilmente anche la mia amica del cuore. Però non sono ancora sicura che i due fatti siano collegati. Comunque, Becky Allen è molto carina e ha capelli lunghissimi e viola. Ho notato che se hai i capelli viola la gente ti guarda spesso. Se sei carina e hai i capelli viola la gente spesso *si ferma* a guardarti, e ne consegue che tra gli adolescenti diventi un personaggio popolare, di spicco e ampiamente riconosciuto: il genere di personaggio che tutti affermano di conoscere anche se non hanno mai scambiato una parola con te. Su Facebook ha 2098 amici.

Al momento, Becky sta parlando con quest'altra ragazza del Nostro Gruppo, Evelyn Foley. Evelyn è considerata "retrò" perché porta i capelli scompigliati e una collanina con un ciondolo a triangolo.

«Però la questione *vera*», dice Evelyn, «è se c'è tensione sessuale tra Harry e *Malfoy*».

Non so quanto a Becky Evelyn piaccia davvero. A volte penso che le persone facciano soltanto finta di piacersi.

«Solo nelle fanfiction, Evelyn», ribatte Becky. «Fammi il piacere di tenere le tue fantasie per te e per il tuo blog».

L'altra ride. «Sto dicendo che alla fine Malfoy aiuta Harry, giusto? In fondo in fondo lui è un bravo ragazzo, no? Ma allora perché perseguita Harry per sette anni?». A ogni parola batte le mani. In realtà non dà enfasi alla sua tesi. «È stranoto che la gente infastidisce chi gli piace. In questo caso la psicologia è indiscutibile».

«Evelyn», ribatte Becky. «*Primo*, non sopporto quest'idea da fan che Draco Malfoy sia una bell'anima tormentata in cerca di redenzione e comprensione. Secondo, l'unica coppia non canonica di cui *valga la pena* parlare è Pily».

«*Pily?*»

«Piton e Lily».

Evelyn appare profondamente offesa. «Non riesco a credere che tu non sia d'accordo su Drarry se assimili *Piton* con *Lily*. Cioè, almeno Drarry è una possibilità realistica». Scuote lentamente la testa. «Sul tipo di Lily che, ovviamente, ci prova con uno attraente ed esilarante come James Potter».

«James Potter era un emerito coglione. Soprattutto nei confronti di Lily. J.K. lo fa capire piuttosto bene. Bella, se alla fine della saga non ti piace Piton, significa che ti sei persa completamente l'idea chiave di *Harry Potter*».

«Se Pily avesse rappresentato *qualcosa*, non ci sarebbe mai stato un Harry Potter».

«Senza Harry, Voldemort non avrebbe potuto, per esempio, compiere uno sterminio di massa».

Becky si volta verso di me e lo stesso fa Evelyn. Ne deduco che mi pressano perché contribuisca in qualche modo.

Mi tiro su. «State dicendo che, se è per colpa di Harry che muoiono tanti maghi e babbani, sarebbe stato meglio che Harry Potter non ci fosse mai stato, e neppure i libri o i film, o nient'altro?».

Ho l'impressione di aver rovinato la loro conversazione, così bofonchio una scusa e mi alzo dalla sedia precipitandomi fuori dalla sala. A volte le persone le odio proprio. E probabilmente questo non giova alla mia salute mentale.

* * *

Nella nostra cittadina esistono due licei: lo Harvey Greene Grammar School for Girls, che tutti chiamano "la Higgs", e il Truham Grammar School for Boys. Però entrambi accettano ragazzi *e* ragazze nel corso dell'ultimo biennio di studio, il 12° e il 13°, che qui è universalmente noto come *sixth form*. Dunque, ora che sono al penultimo anno, devo affrontare quest'improvvisa invasione della specie maschile. Alla Higgs, i ragazzi sono considerati quasi creature mitiche e avere un vero, *autentico* fidanzato ti pone a capo della gerarchia sociale, ma a me pensare o parlare troppo dell'argomento "ragazzi" fa venire voglia di spararmi in bocca.

Anche se me ne importasse qualcosa, non è che avremmo l'occasione di metterci tanto in mostra grazie alle nostre splendide uniformi scolastiche. In genere, chi frequenta l'ultimo biennio non ha più l'obbligo della divisa, ma alla Higgs siamo costretti a indossarne una orripilante. È grigia, perfetta per questo posto noioso.

Quando raggiungo il mio armadietto, sullo sportello trovo un post-it. Qualcuno ci ha disegnato sopra una freccetta che indica verso sinistra, a suggerire che, magari, dovrei guardare in quella direzione. Irritata, giro il capo. Qualche armadietto più avanti, ecco un altro post-it. E sul muro in fondo al corridoio ce n'è un altro. Le persone ci passano accanto senza notarli. Che dire? La gente non osserva, né si pone domande di fronte a questo genere di cose. Non riflette sul fatto che un déjà-vu potrebbe essere un'imperfezione di *Matrix*. Per strada, oltrepassa i barboni senza neppure gettare uno sguardo sulle loro condizioni disgraziate. Non psicoanalizza i creatori degli horror violenti, sebbene forse siano tutti degli psicopatici.

Stacco dal mio armadietto il post-it e mi dirigo verso il successivo.

A volte mi piace riempire la giornata con le piccole cose che non interessano agli altri. Mi fa sentire come se stessi facendo qualcosa di importante, soprattutto perché nessun altro lo fa. E questa è una di quelle volte.

I post-it cominciano a spuntare ovunque, però, come ho già detto, me li filo solo io: pensano tutti alle proprie faccende e chiacchierano di ragazzi, vestiti o altri discorsi inutili. Quelle del 9° e del 10° anno avanzano impettite con le gonne arrotolate e i calzettoni sopra i collant: sono classi che appaiono sempre felici, e questo me le fa detestare un po'. D'altronde, detesto parecchie cose.

Il penultimo post-it che trovo ha una freccia rivolta verso su, ovvero verso l'altro lato della porta su cui è attaccato, quella dell'aula computer dismessa, al primo piano. La vetrata dell'anta è coperta di stoffa nera. L'anno scorso proprio quest'aula, la C16, è stata chiusa per essere ristrutturata, ma pare che nessuno si sia preso la briga di farlo. Quasi me ne rattristo, a dire la verità, però apro comunque la porta, entro e la richiudo alle mie spalle.

Un finestrone occupa per intero la parete opposta e i computer sembrano mattoni. Cubi solidi. Pare di aver viaggiato nel tempo fino agli anni Novanta.

Scopro l'ultimo post-it sulla parete posteriore. Sopra è trascritto un URL:

SOLITAIRE.CO.UK

Casomai viveste fuori dal mondo o foste un privatista, oppure solo un idiota, Solitaire è un gioco di carte che si fa da soli. In genere mi ci dedico durante le lezioni di Informatica e forse è molto più utile alla mia intelligenza che seguire con attenzione il corso.

Proprio adesso qualcuno apre la porta.

«Dio santo, l'età di questi computer è un vero *reato*».

Mi volto lentamente. Davanti alla porta chiusa c'è un ragazzo.

«Riesco a sentire la sinistra sinfonia della connessione via modem», dice con lo sguardo che vaga sperso. Dopo lunghi secondi, si accorge finalmente di non essere solo.

Ha un'aria ordinaria, non è né bello né brutto, un tipo composito. Il suo tratto più originale è costituito da un paio di occhiali dalla montatura grande e spigolosa, tipo quelli per vedere i film in 3D, che i dodicenni, convinti di sembrare "fichissimi", indossano senza lenti. Oddio, detesto che qualcuno si metta occhiali così. È alto e con la riga di lato. Con una mano regge una tazza, con l'altra un foglietto e il suo diario scolastico.

Recepisce la mia faccia e sgrana gli occhi così tanto che, giurerei, sembrano raddoppiare di volume. Si avventa su di me con balzo felino, abbastanza violento da farmi inciampare mentre retrocedo per paura che mi possa polverizzare. Si inclina tanto che la distanza tra i nostri volti si riduce a una manciata di centimetri. Con lo sguardo oltrepasso il mio riflesso sulle sue lenti ridicolmente fuori misura e mi accorgo che ha un'iride azzurra e l'altra verde: eterocromia.

Di colpo fa un sorrisone.

«Victoria Spring!», urla alzando le braccia.

Taccio, immobile. Mi viene il mal di testa.

«Sei Victoria Spring», ripete. Sventaglia il foglietto davanti al mio viso: è una fotografia… mia. Al di sotto, in caratteri piccoli si legge: "Victoria Spring, 11A". La foto è quella che era stata messa nella bacheca vicino alla sala insegnanti quando, durante l'11° anno, sono stata rappresentante del corso: il motivo principale era che nessun altro voleva farlo, per cui mi ero offerta volontaria. Ciascuna rappresentante aveva dovuto fare la foto. La mia è orribile. È stata scattata prima che mi tagliassi i capelli e assomiglio alla ragazza di *The Ring*, come se quasi non avessi una faccia.

Fisso il suo occhio azzurro. «L'hai strappata dalla bacheca?».

Indietreggia leggermente, smettendo di invadere il mio spazio. Ha ancora dipinto sul volto quel sorriso da pazzo. «Ho detto a un tizio che avrei dato una mano a cercarti». Con il suo diario si batte il mento. «Un tipo biondino… con pantaloni aderenti… che si aggira come se non sapesse proprio dove si trova…».

Non conosco *alcun* ragazzo, di certo non uno biondino con pantaloni aderenti.

Alzo le spalle. «Come sapevi che ero qui?».

Anche lui fa spallucce. «Non lo sapevo. Sono entrato seguendo la freccia sulla porta. Mi era sembrata piuttosto misteriosa. Ed eccoti qui! Che *esilarante* scherzo del destino!».

Prende una sorsata dalla tazza. Comincio a chiedermi se questo tipo non abbia qualche problema mentale.

«Ti ho già vista», dice, sempre con il sorrisone.

Mi rendo conto che lo sto scrutando. Devo averlo sicuramente incontrato in un corridoio; di certo mi sarei ricordata quegli occhiali orripilanti. «Non credo proprio di averti *mai* visto».

«Non mi sorprende», ribatte. «Sono all'ultimo anno, quindi non mi incontri spesso. E in questa scuola sono arrivato solo a settembre. Il penultimo l'ho fatto al Truham».

Ecco spiegato tutto: non mi bastano quattro mesi per memorizzare un volto.

«Allora», dice tamburellando sulla tazza, «che succede *qui*?».

Mi scosto e stancamente gli indico, sul muro alle mie spalle, il post-it. Lui va a staccarlo.

«Solitaire.co.uk. Interessante. Okay, direi che potremmo accendere uno di questi PC per verificare, peccato però che saremo morti prima che Internet Explorer si avvii. Scommetto qualsiasi cifra che hanno ancora Windows 95».

Si accomoda su una sedia girevole e guarda fuori dalla finestra il paesaggio cittadino. È tutto illuminato, come se ci fosse un incendio. Si vede oltre il centro fino alla campagna. Si accorge che anch'io lo sto osservando.

«È come se ti trascinasse fuori, vero?», dice. E poi sospira come farebbe una ragazzina. «Stamattina ho visto un vecchio lungo la strada. Stava seduto alla fermata dell'autobus ascoltando qualcosa dall'iPod e batteva il tempo con le mani sulle

17

ginocchia, mentre guardava il cielo. Quando mai ti capita una cosa del genere, un vecchio con l'iPod? Ancora mi chiedo cosa stesse ascoltando. Uno penserebbe a un brano di classica, però poteva essere qualsiasi altra cosa. Chissà, magari era una musica triste». Alza i piedi e li incrocia poggiandoli sul tavolo. «Spero proprio di no».

«La musica triste va bene», aggiungo, «se usata con moderazione».

Mi gira intorno e si stringe la cravatta. «Sei davvero Victoria Spring, eh». Dovrebbe essere una domanda, ma la presenta come un fatto assodato.

«Tori», dico con tono intenzionalmente piatto. «Mi chiamo Tori».

Lui ride, una risata molto sonora e forzata. «Come Tori Amos?»

«No», e faccio una pausa. «No, non come Tori Amos».

Infila le mani nelle tasche del suo blazer, io incrocio le braccia. «Qui ci eri già venuta?», mi chiede.

«No».

Annuisce. «Interessante».

Sgrano gli occhi e scuoto il capo. «Che cosa?»

«Cosa *che cosa?*»

«Che cosa è interessante?». Anche se non credo che potrei mostrarmi meno interessata.

«Siamo entrati entrambi per la stessa ragione».

«Che sarebbe…?»

«*Una risposta*».

Inarco le sopracciglia. Lui mi scruta attraverso le lenti. L'occhio è di un azzurro così pallido da sembrare bianco. Ha una personalità tutta sua.

«Non sono *divertenti* i misteri?», continua. «Non ti entusiasmano?».

E soltanto ora capisco che probabilmente la risposta è no.

Potrei uscire dall'aula fregandomene completamente di solitaire.co.uk o di questo rompiscatole rumoroso.

Invece, poiché desidero che la smetta di fare così dannatamente il superiore, estraggo rapida il cellulare dalla tasca del mio blazer, scrivo "solitaire.co.uk" nella barra degli indirizzi Internet e apro la pagina web.

E quel che appare mi fa quasi scoppiare a ridere: è un blog vuoto. Un blog bufala. Che giornata assolutamente senza senso.

Gli sbatto il telefonino in faccia: «Ecco, mistero risolto, Sherlock».

All'inizio continua a sorridere, come se stessi scherzando, ma non appena mette a fuoco lo schermo del cellulare, quasi incredulo per il colpo, mi prende il telefonino dalla mano.

«È… un blog vuoto…», mormora, ma non a me, più a se stesso, e d'improvviso (non so come sia possibile) mi sento tanto, *tanto* dispiaciuta per lui, che appare maledettamente *triste*. Scuote la testa e mi restituisce il cellulare. Davvero non so cosa fare. In questo istante sembra proprio uno a cui è appena morto qualcuno.

«Be', ehm…», strascico i piedi, «ora ho lezione».

«No, no, aspetta!», e con un balzo me lo ritrovo di fronte. Durante una lunga pausa imbarazzata, mi esamina di sbieco, osserva la foto, poi di nuovo me, e ancora la foto. «Hai tagliato i capelli!».

Mi mordo il labbro per ricacciare indietro il sarcasmo. «Sì», rispondo in tutta onestà, «sì, ho tagliato i capelli».

«Erano così *lunghi*».

«Già, lo erano».

«Perché li hai tagliati?».

Alla fine delle vacanze estive, stavo gironzolando da sola perché avevo tante stronzate da comprare per l'ultimo biennio, i miei avevano già da fare con la faccenda di Charlie, e io volevo proprio togliermele di torno. Però mi ero dimenticata di quanto sono pessima a fare shopping. Dato che la mia vecchia borsa era rotta e sporca, sono andata in perlustrazione nei negozi più carini: River Island, Zara, Urban Outfitters, Mango e Accessorize. Ma lì le borse belle stavano intorno alle cinquanta sterline e non ci sarei mai arrivata. Allora avevo provato in negozi meno cari, come New Look, Primark e H&M, però le loro borse erano pacchiane. E così mi ero girata tutti i negozi almeno un miliardo di volte, finché non ero quasi collassata sul bancone del Costa Coffee in mezzo al centro commerciale. A quel punto avevo cominciato a riflettere sul 12° anno, su tutte le cose che dovevo fare, su tutta la gente nuova che avrei conosciuto e su tutta quella con cui avrei parlato, e avevo intravisto il mio riflesso sulla vetrina di una libreria Waterstones: mi ero resa conto all'istante di avere quasi tutta la faccia nascosta... chi mai avrebbe voluto parlare con una così? Avevo cominciato a sentire i capelli sulla fronte e sulle guance, quanto mi ingessavano le spalle e la schiena, e ne avevo percepito il movimento, come fossero vermi che mi avrebbero soffocato a morte. Con il fiato corto ero andata dritta dritta dal parrucchiere più vicino e li avevo fatti tagliare fino alle spalle e via dalla faccia. Il parrucchiere non voleva, ma io avevo insistito. E i soldi per la borsa li avevo spesi per il taglio.

«Li volevo più corti», è la mia risposta.

Lui si avvicina e io mi tiro indietro strascicando i piedi.

«Tu», dice, «non parli mai sul serio, vero?».

Rido ancora: una specie di patetico sbuffo d'aria, ma per me rientra nella categoria "risata". «Tu chi *sei*?».

Lui si blocca e si ritrae, poi allarga le braccia come se fosse il Secondo Avvento di Cristo e annuncia con voce profonda e riecheggiante: «Mi chiamo Michael Holden».

Michael Holden.

«E tu chi sei, Victoria Spring?».

Non mi viene in mente niente da rispondere perché questa

sarebbe proprio la mia risposta: niente. Sono un vuoto. Sono un nulla. Sono niente.

La voce del professor Kent squilla all'improvviso dall'altoparlante. Mi volto e alzo lo sguardo verso la cassa da cui risuonano le sue parole.

«Tutti gli alunni dell'ultimo biennio si devono dirigere alla sala comune per un breve incontro sul sixth-form».

Quando mi rigiro l'aula è vuota. Mi sento incollata alla moquette. Apro la mano e ci trovo ancora dentro il post-it con SOLITAIRE.CO.UK. Non mi ricordo del momento esatto in cui è passato dalla mano di Michael Holden alla mia, eppure eccolo qua.

E questo, penso, è quanto.

Ecco, probabilmente, come tutto ha avuto inizio.

Due

La stragrande maggioranza delle adolescenti della Higgs è composta da insensibili e stupide conformiste. Ormai mi sono ben integrata in un gruppetto di ragazze che ritengo "in gamba", eppure a volte sento ancora che potrei essere l'unica persona che ha una coscienza, tipo la protagonista di un videogame circondata da comparse generate elettronicamente e in possesso solo di poche funzioni selezionate, del genere "inizia conversazione futile" e "abbraccia".

L'altra cosa riguardo le adolescenti della Higgs, e forse la gran parte delle teenager, è che, nel novanta per cento dei casi, fanno il minimo sforzo possibile. Non credo sia un male, perché dopo, nella vita, ci sarà un sacco di tempo per "sforzarsi" e impegnarsi troppo; adesso è solo uno spreco di energia che si può usare per cose ben più gradevoli come dormire, mangiare e scaricare musica. Io non mi impegno sul serio in niente, e così fanno molti altri miei coetanei. Entrare nella sala comune ed essere accolta da un centinaio di studenti stravaccati su sedie, scrivanie e pavimento è un evento piuttosto straordinario, come se tutti fossero su di giri.

Kent non è ancora arrivato. Mi dirigo verso l'angolo dei PC, da Becky e il Nostro Gruppo: mi pare che discutano di Michael Cera, se è attraente o no.

«Tori, Tori, Tori». Becky picchietta a ripetizione sul mio braccio. «Dammi man forte. Hai visto *Juno*, vero? Pensi che sia carino, no?». Sbatte le mani sulle guance e gli occhi sembrano rotolare all'indietro. «I ragazzi imbranati sono quelli che attizzano di più, non è vero?».

Le metto le mani sulle spalle. «Stai calma, Rebecca. Non tutti amano Cera quanto te».

Comincia a farfugliare a proposito di *Scott Pilgrim vs. the World*, ma io non la sto più ascoltando. Michael Cera non è il Michael al quale sto pensando io. In qualche modo mi tiro fuori dalla discussione e inizio a perlustrare la sala. Sì. Proprio così. Sto cercando Michael Holden.

A questo punto non sono davvero certa del *perché* lo stia cercando. Come ho già forse lasciato intendere, non sono molte le cose che attraggono il mio interesse, in modo particolare non molte persone, però mi irrita che qualcuno pensi di potere iniziare una conversazione per poi troncarla e *andarsene*. È *sgarbato*, no?

Ho esaminato tutte le cricche nella sala. Le cricche sono una concezione tipica da *High School Musical*, d'altronde il motivo che le rende uno stereotipo è dato dal fatto che esistono davvero. In un liceo a prevalenza femminile, è facile aspettarsi che ogni anno ci si divida nelle tre categorie principali che seguono:

1. le vistose: ragazze esperte che usano false identità per inserirsi nei circoli, indossano un mucchio di cose che hanno visto sui blog, spesso fingono di lasciarsi morire di fame, si applicano in quantità creme abbronzanti color rame, fumano per vizio o per essere benaccette, non dicono no alle droghe e conoscono bene il mondo; tutta gente che disapprovo moltissimo;

2. le ragazze strane che pare non abbiano una vera idea di cosa significhi vestirsi bene, o che non sanno controllare bene il loro comportamento strambo, per esempio quando usano la penna della lavagnetta per farsi stupidini disegnini a vicenda, oppure dimostrano di essere fisicamente inabili a lavarsi i ca-

pelli, insomma quelle che generalmente hanno un'età mentale inferiore a quella biologica di almeno tre anni e che finiscono per avere dei fidanzati orrendi quanto loro; sono ragazze che mi rattristano profondamente perché, spesso, ho la percezione che potrebbero essere assolutamente normali se solo ci mettessero un po' d'impegno;

3. le cosiddette "normali": almeno la metà ha un fidanzato fisso normale; sanno tutto della moda e di cultura pop; in genere sono carine, alcune un po' scialbe, altre un po' più appariscenti; si divertono con gli amici, amano le belle feste, adorano lo shopping e i film, si godono la vita.

Non dico che rientriamo tutte in queste categorie, ma amo le eccezioni perché detesto l'esistenza di questi gruppi. Be', non so dove *io* dovrei inserirmi: suppongo nella terza categoria perché il Nostro Gruppo è proprio così. Eppure, non mi sento per niente simile a nessuna del Nostro Gruppo. Anzi, non mi sento di assomigliare a nessuno.

Perlustro la sala almeno tre o quattro volte prima di concludere che lui non c'è. Vabbe'. Forse Michael Holden l'ho solo immaginato. Comunque non è che me ne importi più di tanto. Me ne torno nell'angoletto del Nostro Gruppo, crollo sul pavimento ai piedi di Becky e chiudo gli occhi.

* * *

La porta della sala comune viene spalancata dall'ingresso del professor Kent, il vicepreside, che fende la folla con il suo solito seguito: la signorina Strasser, troppo giovane e carina per essere una vera insegnante, e la nostra rappresentante d'istituto, Zelda Okoro (non sto scherzando: ha sul serio un nome così fantasioso). Kent è un tipo spigoloso, che spesso mi ricorda Alan Rickman, a cui somiglia in modo incredibile, ma è forse l'unico professore veramente intelligente di questa scuola. È il mio insegnante d'Inglese già da cinque anni, per cui in effetti ci conosciamo ormai piuttosto bene. Il che magari è un po' strambo. Abbiamo anche una preside, la signora Lemaire, che si dice faccia parte del governo francese, cosa che spiegherebbe perché a scuola non c'è mai.

«Vorrei un po' di *silenzio*», esordisce Kent, in piedi davanti a una lavagna interattiva appesa alla parete proprio sotto il motto della nostra scuola: "*Confortamini in Domino et in potentia virtutis eius*". Nel mare delle divise grigie, i volti si girano verso di lui.

Per qualche istante il vicepreside tace, cosa che fa spesso. Becky e io ci scambiamo un sorrisetto e iniziamo a contare i secondi. È un nostro gioco. Non mi ricordo quando abbiamo cominciato ma, ogni volta che ci troviamo alle assemblee, agli incontri del biennio finale o quel che sia, contiamo in secondi la durata dei suoi silenzi. Il record è stato settantanove. E non scherzo.

Allo scandire del dodicesimo secondo, Kent apre la bocca per parlare...

Una musica si diffonde dal corridoio.

È la musica di Dart Fener in *Guerre stellari*.

Un istantaneo disagio si libra sull'intero biennio. Ogni testa si volta spasmodica di qua e di là bisbigliando, e tutti ci chiediamo perché Kent abbia messo la musica in corridoio, e come mai proprio *Guerre stellari*. Forse ci farà una predica su come si comunica con chiarezza, sulla perseveranza, la condivisione aperta e la comprensione, o sulle capacità dell'interconnessione, insomma gli argomenti principali degli incontri del *sixth form*. Magari sta provando a fare un discorso sull'importanza della leadership. Soltanto quando sulla lavagna alle sue spalle cominciano ad apparire le immagini, comprendiamo quello che davvero sta accadendo.

La prima foto è la faccia di Kent photoshoppata su quella di Yoda. La seconda mostra Kent nei panni di Jabba the Hutt.

Segue la Principessa Kent con un bikini dorato.

Tutto il biennio scoppia in risate incontrollabili.

Il vero Kent, con espressione rabbuiata, ma ancora in grado di mantenere la calma, esce dalla sala a passo deciso. Non appena se ne va anche la Strasser, gli studenti cominciano a migrare da un gruppo a un altro, imitando l'espressione dello sguardo del vicepreside quando ha visto la sua faccia applicata su Natalie Portman, completa di cerone bianco e copricapo pomposo. Lo ammetto, è davvero divertente.

Dopo che Kent/Darth Maul scompare dallo schermo e negli altoparlanti l'orchestra raggiunge il suo culmine, lo schermo della lavagna interattiva mostra le seguenti parole:

SOLITAIRE.CO.UK

Becky copia l'indirizzo sul PC e il Nostro Gruppo le si ammassa intorno per dare un'occhiata. Adesso il blog bufala ha un post, caricato un paio di minuti fa: una foto di Kent che guarda la lavagna trattenendo un moto di stizza.

Subito cominciamo a parlarne. Cioè, le altre cominciano. Io me ne resto seduta lì.

«Qualche ragazzino magari crede che sia una furbata», sbuffa Becky. «Forse mettendo la foto sul blog, pensano di aver provato ai loro amici hipster quanto sono esilaranti e ribelli».

«Be' sì, *è* una furbata», interviene Evelyn, ostentando come al solito il suo complesso di superiorità, ormai ben radicato. «Gli sta a pennello».

Scuoto la testa perché non ci vedo alcuna furbizia. Chiunque sia stato ha semplicemente adattato la faccia di Kent a quella di Yoda: una funzione di Photoshop.

Lauren ride di gusto. Lauren Romilly fuma solo in compagnia e ha una bocca lievemente troppo grande per la sua faccia. «Già mi vedo le bacheche di Facebook. È probabile che mi abbia interrotto il feed di Twitter».

«Ho bisogno di una sua foto per il mio blog», prosegue Evelyn. «Mi porterebbe un paio di migliaia di nuovi follower».

«Ma smettila, Evelyn», sbuffa Becky. «In rete sei già una gloria».

Rido. «Basta che tu metta solo un'altra foto delle tue gambe, Evelyn», dico sottovoce. «Sono state ripostate almeno ventimila volte». Ma solamente Becky mi ha sentito: mi sorride e io ricambio, il che è carino, perché è raro che mi venga qualcosa di divertente da dire.

Ecco qua. Questo è più o meno tutto quello che ci siamo dette.

In dieci minuti è tutto dimenticato. Però, a dire la verità, questo scherzo mi ha in qualche modo stregato. Il motivo di base è che, da piccola, *Guerre stellari* per me era quasi un'ossessione. Non credo di avere più rivisto quei film negli ultimi anni, ma ascoltarne la musica mi ha riportato alla mente qualcosa. Non so cosa. È una sensazione.

Ehi, sto cadendo nel sentimentale.

Scommetto che chiunque sia stato adesso gongola come un tacchino. E per questo lo detesto.

Cinque minuti dopo mi sono abbioccata, la testa appoggiata alla scrivania e le braccia che proteggono il mio volto contro ogni forma di interazione sociale, quando qualcuno mi picchietta la spalla.

Mi raddrizzo di soprassalto e dirigo lo sguardo appannato verso chi mi ha svegliato. Becky mi fissa in modo strano, immersa in una cascata di ciocche viola. Sbatte le palpebre.

«Che c'è?», chiedo.

Indica davanti a sé e allora mi volto.

C'è un ragazzo, in piedi. Nervoso. Il viso deformato da un sorrisino sbieco. Capisco cosa sta succedendo, però il mio cervello non vuole accettare l'idea che ciò sia possibile, per cui apro e richiudo la bocca ben tre volte prima di uscirmene con un «Santo Dio».

Il tipo fa un passo avanti: «V-Victoria?».

Escludendo Michael Holden, conoscenza recente, esistono unicamente due persone che in vita mia mi hanno chiamato Victoria: una è Charlie e l'altra è… «Lucas Ryan», dico.

C'è stato un tempo in cui conoscevo un ragazzo che si chiamava Lucas Ryan. Urlava tanto ma amava i Pokémon quanto me e credo che questo bastasse perché diventassimo amici. Una volta mi disse che da grande avrebbe voluto vivere in una bolla gigantesca perché così avrebbe potuto volare ovunque per vedere tutto, e la mia risposta fu che avrebbe avuto una casa orrenda perché all'interno le bolle sono vuote. Quando compii otto anni mi regalò un portachiavi di Batman, mentre per i nove il libro *Come disegnare i Manga*, per i dieci le carte dei Pokémon e per gli undici una T-shirt con una tigre sopra.

Devo aver avuto una reazione a scoppio ritardato perché adesso il suo volto ha cambiato del tutto forma. È stato sempre più basso di me, invece ora è più alto almeno di trenta centimetri e poi, ovviamente, gli è maturata la voce. Ho iniziato a cercare le tracce dell'undicenne Lucas Ryan, ma riconosco solo i capelli biondo cenere, la magrezza dei suoi arti e l'espressione impacciata.

Certo, è il "biondino con i pantaloni aderenti".

«Santo Dio», ripeto. «Ciao».

Ride. La risata me la ricordo. Tutta di petto. Una risata di petto.

«Ciao», mi saluta con un ennesimo sorriso. Un bel sorriso. Un sorriso tranquillo.

Mi alzo teatralmente in piedi e lo squadro, cosa che fa anche lui. È proprio Lucas Ryan.

«Sei proprio tu», dico e devo trattenermi dall'impulso di

avvicinarmi per dargli qualche buffetto sulla spalla. Così, per controllare che sia davvero qui in carne e ossa.

Ride. Mi guarda di sbieco. «Sono proprio io!».

«E-e… perché?».

Appare quasi imbarazzato. Mi ricordo questa espressione. «Ho lasciato il Truham alla fine dell'ultimo quadrimestre», spiega. «Sapevo che eri qui e così…». Giocherella con il colletto. Un'altra sua abitudine. «Be'… Ho pensato di venire a cercarti. Dato che non ho amici qui, così, be'… già. Eccomi».

Credo che ormai sappiate che non sono mai stata molto brava a farmi degli amici e alle elementari non ero diversa. In quei sette anni di mortificante rifiuto sociale, mi ero conquistata un unico vero amico. Di certo non vorrei rivivere quei giorni, però c'era stata una cosa buona che probabilmente mi aveva fatto andare avanti: si trattava della placida amicizia con Lucas Ryan.

«Wow», interviene Becky, incapace di trattenersi davanti a un nuovo potenziale gossip. «E voi due come vi siete conosciuti?».

Sarò anche una persona complicata, ma Lucas mi batte alla grande. Si volta verso Becky arrossendo di nuovo e io provo un moto di imbarazzo per lui. «Alle elementari», risponde. «Eravamo amici del cuore».

Le sopracciglia modellate di Becky prendono il volo. «Ma dààààààài». Ci osserva ancora una volta prima di concentrarsi su Lucas. «Bene, credo di essere il tuo rimpiazzo. Mi chiamo Becky». Con un gesto indica la sala: «Benvenuto nella Terra dell'Oppressione».

Lucas arrangia una risposta che sembra uno squittio: «Sono Lucas». Poi si volta verso di me. «Ci dobbiamo rimettere in pari», mi dice.

È così che riprendono vita le amicizie?

«Sì…», borbotto: lo shock ha fatto sparire il mio vocabolario. «Sì».

Le persone hanno cominciato a uscire dalla sala perché sta per iniziare la prima ora di lezione e gli insegnanti non sono rientrati.

Lucas mi fa un cenno con la testa. «Ehm, non voglio arrivare tardi alla mia prima lezione… questa giornata pare che si stia trasformando in una cosa un po' imbarazzante… ma presto ci facciamo due chiacchiere, eh? Ti becco su Facebook».

Con quasi seria incredulità, Becky fissa Lucas che si allontana e poi mi afferra saldamente dalle spalle. «Tori ha appena parlato con un *ragazzo*… No: Tori ha appena sostenuto una conversazione *da sola*. Mi viene da piangere».

«Su, su». Le batto sulla spalla. «Sii forte. Ce la farai».

«Sono orgogliosissima di te: mi sento fiera come una madre».

Sbuffo. «So sostenere una conversazione da sola. Altrimenti questa come la definiresti?»

«*Io* sono l'unica eccezione. Con chiunque altro sei socievole quanto una scatola di cartone».

«Forse sono una scatola di cartone».

E ridiamo.

«È buffo… perché è vero», dico, continuando a ridere e fingendomi divertita. Ah ah ah.

Tre

La prima cosa che faccio quando rientro da scuola è crollare sul mio letto e accendere il portatile. Ogni santo giorno. Se non sono a scuola, potete giurare che il portatile sarà sempre a un paio di metri dal mio cuore. Il portatile è la mia anima gemella.

Negli ultimi mesi ho cominciato a rendermi conto che ormai, più che una persona reale, sono un blog. Non so quando ha avuto inizio, né ricordo il momento o il motivo per cui mi sono iscritta a questo sito, ma, a quanto pare, non ho più memoria di quel che *facevo* prima né so cosa farei se lo chiudessi. Sono serissima quando dico che mi pento di aver aperto il blog, davvero. È un po' imbarazzante. Ma è l'unico posto dove riesco a trovare persone che un po' mi assomigliano. Qui le persone parlano di sé in un modo che nella vita vera non ha eguali.

Se lo cancellassi, probabilmente tornerei a essere sola.

E non è questione di avere più o meno follower. Io non sono Evelyn. È che nel mondo reale non si ritiene accettabile, a livello sociale, parlare chiaramente di cose deprimenti, perché la gente pensa che stai soltanto cercando di attirare l'attenzione. Una cosa che detesto. Quel che dico è che è bello poter esprimere ciò che vuoi. Anche se solo in rete.

Dopo aver atteso un centinaio di miliardi di anni che Internet si apra, vado sul blog. Ci sono un paio di brutti messaggi anonimi: qualche mio patetico post ha irritato alcuni follower. Così apro Facebook. Due notifiche: Lucas e Michael mi hanno inviato una richiesta di amicizia. Le accetto entrambe. Poi controllo la posta. Nessuna mail.

E allora torno a verificare il blog di Solitaire. La foto di Kent che guarda con una passività esilarante è ancora lì, ma è stato aggiunto anche qualcos'altro: il titolo. Adesso è questo:

Solitaire: La pazienza uccide.

Non so cosa stiano cercando di fare questi tipi di Solitaire, però "La pazienza uccide" è il più stupido calco del titolo di un film di James Bond che abbia mai sentito. Sembra un sito di scommesse.

Tolgo dalla tasca il post-it con SOLITAIRE.CO.UK e lo attacco esattamente al centro dell'unica parete libera della mia stanza.

Ripenso a quel che è successo oggi con Lucas Ryan e, per un istante, mi sento di nuovo fiduciosa. Non so. Vabbe'. Non so perché me ne preoccupo. Neppure so perché ho seguito i post-it fino all'aula computer. Porca miseria, non so mai perché faccio qualcosa.

Alla fine, trovo la forza di alzarmi per arrancare fino in cucina, al pianoterra, a bere. Là c'è mamma con il suo PC. A pensarci bene, mi somiglia. È innamorata di Microsoft Excel quanto io lo sono di Google Chrome. Mi chiede com'è andata la giornata, ma reagisco con un'alzata di spalle e un semplice «Bene», tanto sono sicura che la mia risposta non le importa.

Proprio perché ci assomigliamo, abbiamo smesso di parlare tanto fra noi. Quando succede, ciascuna delle due incontra grandi difficoltà a trovare un argomento di conversazione, oppure semplicemente si arrabbia, e così abbiamo raggiunto un tacito accordo: non esiste un vero motivo per riprovarci. E non me ne curo troppo. Mio padre è molto loquace, anche se ciò che dice è incredibilmente irrilevante per la mia vita, e poi c'è sempre Charlie.

Squilla il telefono fisso. «Rispondi per favore?», chiede mia madre.

Detesto il telefono fisso. È la peggiore invenzione della storia mondiale, perché non succede niente se non parli. Non te la puoi cavare, come in tutti gli altri contesti comunicativi, limitandoti ad ascoltare o a fare un cenno del capo. *Devi* parlare. *Non c'è via d'uscita.* Annienta la mia libertà di tacere.

Dal momento che non sono poi così disubbidiente, alzo la cornetta. «Sì?».

«Tori, sono io», cioè Becky. «Com'è che rispondi al telefono?»

«Ho deciso di rivedere il mio atteggiamento verso la vita per trasformarmi in una persona completamente diversa».

«Dillo ancora».

«Perché mi chiami? Non lo hai mai fatto».

«Bella, è una cosa assolutamente troppo importante per dirtela con un SMS».

Pausa. Mi aspetto che prosegua, invece pare che aspetti il mio via. «Okay...».

«Si tratta di Jack». Ah. Becky ha chiamato per parlare del suo quasi-ragazzo, Jack. Lo fa di frequente. Non di chiamarmi, no. Di raccontarmi dei suoi vari quasi-fidanzati.

Durante il suo racconto piazzo i vari «Mmm», «Già» e «Ommioddio» del caso. La sua voce si affievolisce solo quando mi distraggo a immaginarmi nei suoi panni: una adorabile, felice e divertente ragazza che riceve almeno due inviti a settimana a delle feste ed è in grado di attaccare bottone in meno di due secondi. Penso a me a una festa. Musica martellante, tutti con la bottiglia in mano, chissà come sono al centro dell'attenzione e rido: occhi che si accendono ammirati quando racconto una mia storiella imbarazzante da morire, magari su una sbronza o su un vecchio fidanzato, oppure semplicemente di quella volta che ho fatto qualcosa di figo, e tutti si chiedono come sono riuscita ad avere un'adolescenza così originale, avventurosa e felice. E tutti mi abbracciano. Tutti vogliono sapere cosa decido di fare: se ballo la gente balla, se mi siedo per rivelare un segreto mi si forma subito un circolo intorno, quando me ne vado la festa si spegne e muore come un sogno dimenticato.

«...avrai capito di cosa sto parlando», mi dice. Invece no.

«Qualche settimana fa... Dio, te lo devo aver detto: abbiamo fatto *sesso*».

La sorpresa mi raggela. Lo sapevo che prima o poi doveva succedere. In fondo, avevo una sorta di rispetto per lei perché era vergine, anche se, a pensarci bene, sembra presuntuoso. Cioè, ormai siamo tutte sedicenni, anzi Becky ne ha quasi diciassette di anni, e se vuole fare sesso va bene, mica è un reato. Però, il fatto che entrambe eravamo vergini... non lo so. Era come se questa cosa ci mettesse sullo stesso piano, anche se in modo contorto. E adesso eccomi qui, al secondo posto in una categoria diversa.

«Bene...». Non c'è letteralmente nulla da aggiungere. «...okay».

«Mi stai giudicando, mi consideri una troia».

«No!».

«Lo sento, hai il tuo tono giudicante».

«No!». Segue una pausa. Che si dice in una situazione del genere? *Ben fatto... bel lavoro?!*

Comincia a spiegarmi che Jack ha un amico che sarebbe "perfetto" per me. Ma io non ci credo, a meno che il tipo non sia completamente muto, cieco o sordo. O anche tutte e tre le cose insieme.

Quando riesco a riattaccare, mi trastullo in cucina. Mentre mia madre continua a cliccare sul PC, ho come la sensazione che questa giornata sia stata senza senso. Nella testa mi appare un'immagine di Michael Holden, seguita da una di Lucas Ryan e infine da quella del blog di Solitaire. Decido che ho bisogno di parlare con mio fratello, mi verso una limonata diet ed esco dalla cucina.

Mio fratello Charles Spring ha quindici anni e frequenta l'11° anno al Truham. Per me è la persona più carina nella storia dell'universo – so che "carino" è un po' una parola senza un senso pre-

34

ciso, ma proprio questo la rende così potente. Essere una persona "carina" è difficilissimo perché troppe cose possono intervenire lungo la strada. Da piccolo, si rifiutava di gettare la sua roba poiché per lui tutto era speciale: libri illustrati, magliette che non gli stavano più, giochi da tavolo ormai inutili. Ammucchiava tutto in pile altissime, di cui ogni oggetto rappresentava qualcosa. Se gli chiedevo di qualcuno in particolare, mi raccontava che l'aveva trovato in spiaggia, o che era stato dismesso dalla tata, o ancora che l'aveva comprato a sei anni allo zoo di Londra.

I nostri genitori si sono liberati di quasi tutta la paccottiglia l'anno scorso, quando lui si è ammalato: immagino che sia stata una specie di ossessione, simile a quella che ha avuto anche per tantissime altre cose (specialmente il cibo), però adesso ne è uscito. Sta meglio, ma è sempre lo stesso bambino che ritiene ogni cosa sia speciale. Ecco che tipo è Charlie.

Non è affatto chiaro cosa stiano facendo in salotto Charlie, il suo ragazzo Nick e il nostro altro fratellino, Oliver: hanno riempito la stanza di pile di scatoloni, diciamo almeno una *cinquantina*, e sembra che sia Oliver, che ha sette anni, a dirigere le operazioni, mentre Nick e Charlie riuniscono le scatole in una scultura che ricorda un hangar. Le pile toccano il soffitto. Oliver deve stare in piedi sul divano per poter sovrintendere al completamento della struttura.

Alla fine Charlie aggira la piccola costruzione e si accorge che li sto osservando dal corridoio. «Victoria!».

Gli faccio l'occhiolino. «Posso disturbarti con una richiesta?».

Mi guarda come se fossi bene a conoscenza di quanto sta accadendo. «Stiamo costruendo un trattore per Oliver».

Annuisco. «Certo. Sì. Era chiarissimo».

Nick fa capolino. Nicholas Nelson, che ha la mia stessa età, è uno di quei maschiacci che al momento è completamente preso dagli stereotipi quali il rugby, la birra, le imprecazioni e cose simili, però ha anche la più bella combinazione tra nome e cognome che conosca, per cui mi sarebbe impossibile non farmelo piacere. Davvero non ricordo quando sono diventati "Nick-e-Charlie", ma è l'unico che sia venuto a trovare mio fratello nel periodo in cui stava male e questo, per me, vuol dire che è un tipo a posto.

«Tori», mi saluta con grande serietà. «Bene, abbiamo bisogno di altre braccia gratuite».

«Tori, mi passi lo scotch?», mi chiede Oliver, anche se pronuncia "soc" invece di scotch perché ha da poco perso due incisivi.

Do a Oliver lo "soc" e poi domando a Charlie, indicando le scatole: «Dove le avete trovate tutte queste?».

Lui si limita a fare spallucce e mentre si allontana risponde: «Sono di Oliver, non *mie*».

Ed ecco come sono finita a costruire trattori in salotto.

Una volta completata l'opera, Charlie, Nick e io ci siamo seduti al suo interno per ammirarla. Oliver si aggira intorno al trattore con un pennarello per disegnare macchie di fango sulle ruote e alcune armi «nel caso che le mucche incontrano il Lato Oscuro». È una situazione tranquilla, a essere sinceri. Su ogni scatola, una freccia nera indica verso l'alto.

Charlie mi sta dicendo della sua giornata. Gli piace tanto raccontarmele.

«Saunders ci ha chiesto chi sono i nostri musicisti preferiti e io ho risposto i Muse e *tre* persone mi hanno chiesto se mi piacevano per via di *Twilight*. Pare che nessuno creda che sia possibile provare un autentico interesse».

Mi acciglio. «Vorrei proprio incontrare un ragazzo che abbia *davvero* visto *Twilight*. Voi due non vivete nel regno della Coppa d'Inghilterra e dei *Griffin*?».

Nick sospira. «Tori, stai di nuovo generalizzando».

Charlie ruota la testa verso di lui. «Nicholas, sii onesto: tu vedi soprattutto la Coppa e i *Griffin*».

«A volte vedo anche il Sei Nazioni».

Ridacchiamo tutti. Segue un silenzio breve, quasi imbarazzato, durante il quale mi stendo a contemplare il soffitto di cartone.

Comincio a raccontare loro dello scherzo di oggi. E questo m'induce a ripensare a Lucas e a Michael Holden.

«Oggi ho rincontrato Lucas Ryan», esordisco. Parlarne a Nick e Charlie non è un problema. «Ora sta a scuola nostra».

Nick e Charlie strabuzzano gli occhi contemporaneamente.

«Lucas Ryan... il Lucas Ryan delle elementari?», si corruccia Charlie.

«Lucas Ryan ha mollato il Truham?», si acciglia Nick. «Balle. Per la prova di Psicologia dovrei copiare da lui».

Annuisco a entrambi. «È stato bello vederlo, sapete, perché possiamo essere di nuovo amici. Suppongo. Con me è sempre stato carino».

Annuiscono a loro volta. È un annuire pieno di consapevolezza.

«E ho anche conosciuto un tipo che si chiama Michael Holden».

Nick, che stava prendendo un sorso di tè dalla sua tazza, quasi si soffoca. Charlie sorride apertamente e poi ridacchia.

«Cosa? Lo conoscete?».

Nick si è ripreso abbastanza da poter parlare, anche se ogni parola è accompagnata da un colpo di tosse: «Quello stronzo di Michael Holden. Merda. Scenderà di posizione tra le leggende del Truham».

Charlie china il capo continuando a guardarmi. «Non diventarci amica. Forse è pazzo. Al Truham lo evitavano tutti perché ha dei disturbi mentali».

Battendo sul ginocchio di Charlie, Nick aggiunge: «Be', *io*, con uno con disturbi mentali, ci sono diventato amico e si è rivelata una cosa piuttosto fantastica».

Charlie sbuffa e allontana la mano di Nick, brusco.

«Ti ricordi quando cercò di trascinarci in un flash mob per

lo scherzo dell'11° anno», racconta Nick, «e alla fine l'ha fatto da solo sopra i tavoli della mensa?».

«E invece quando ha parlato dell'ingiustizia dei dirigenti per il discorso da capoclasse nel 12°?», aggiunge Charlie. «Solo perché era stato punito per aver litigato con il professor Yates durante la prova d'esame!». E si sono messi a ridere alla grande.

Ciò conferma il mio sospetto che Michael Holden non sia il tipo con cui potrei stringere amicizia. Mai.

Charlie alza gli occhi verso Nick: «È gay, vero? L'ho sentito dire».

Nick fa spallucce. «Be', io ho sentito dire che fa pattinaggio artistico, il che non lo rende del tutto impossibile».

«Mmm». Charlie si acciglia. «Credevo che conoscessimo tutti i gay del Truham».

S'interrompono per guardarmi.

«Senti», dice Nick con la mano tesa verso di me. «Lucas Ryan è fico. Però Michael Holden non la racconta giusta. Cioè, non mi sorprenderei se dietro allo scherzo ci fosse lui».

Il fatto è che non so se Nick ha ragione. Mi mancano le prove per sostenerlo. Non sono neppure sicura del motivo per cui lo penso. Forse per via del modo in cui Michael parlava… come se credesse a quello che diceva. O forse per via di quanto era triste quando gli ho mostrato che il blog di Solitaire era vuoto. Oppure per via di qualcos'altro, magari privo di senso, tipo i colori delle sue iridi, quella ridicola riga di lato, il modo in cui è riuscito a mettermi il post-it in mano senza che neanche mi accorgessi che ci stavamo toccando. Forse è solo perché lui è troppo *sbagliato*.

Durante queste riflessioni Oliver si è infilato nel trattore per sedersi in grembo a me. Con la mano gli faccio qualche tenera carezza sulla testa e gli passo quel che rimane della limonata diet perché mamma non gliela fa bere mai.

«Non lo so», riprendo. «Sinceramente, scommetto che è stato solo uno stronzo che ha un blog».

38

Quattro

Sono in ritardo: mamma aveva capito che avevo detto le otto, invece avevo detto le sette e mezza. Come ha fatto a confondersi tra otto e sette e mezza?

«Di chi è il compleanno?», mi chiede quando siamo in macchina.

«Di nessuno. È solo per verderci».

«I soldi ti bastano? Te ne servono altri?»

«Ho quindici sterline».

«Ci sarà Becky?»

«Sìì».

«E Lauren e Evelyn?»

«Forse».

Quando parlo con i miei non risulto mai molto scontrosa, anzi, di solito piuttosto allegrotta. Ci so proprio fare.

È martedì e Evelyn ha organizzato una cosa "inizio quadrimestre" al Pizza Express. Non ci vorrei andare, ma credo che fare uno sforzo sia importante: è una convenzione sociale eccetera.

Saluto chi mi saluta, mentre entro e prendo posto a sedere alla fine della tavolata. Quasi muoio non appena mi accorgo che c'è Lucas. So già che mi sarà difficile pensare a qualcosa di cui parlare con lui. È stata la ragione per cui sono stata attentissima a evitarlo ieri e stamattina. Era chiaro che Evelyn, Lauren e Becky ne avrebbero approfittato per renderlo il "ragazzo" del gruppo. Avere un ragazzo in un gruppo corrispon-

39

de ad avere una casa con la piscina, una camicetta strafirmata o una Ferrari. Insomma, ti rende più importante.

Una sollecita cameriera mi raggiunge e così ordino una limonata diet, poi osservo la lunga tavolata. Stanno tutti chiacchierando, ridendo e sorridendo, e questo mi intristisce un po', come se li guardassi da dietro una finestra sporca.

«Già, ma la maggior parte delle ragazze che si sposta al Truham lo fa soltanto per avere sempre ragazzi intorno». Becky, che mi siede accanto, si rivolge a Lucas, che ci siede di fronte. «Tante puttanelle in cerca d'attenzione».

«A essere onesti», replica lui, «le ragazze del Truham sono fondamentalmente degli oggetti di adorazione».

Lucas coglie il mio sguardo e appare quel suo sorriso impacciato. Ha una camicia hawaiana divertente, di quelle attillate, con il colletto in su e le maniche corte leggermente arrotolate. Non mostra più la goffaggine di ieri, anzi, sembra *trendy*. Non avrei creduto che sarebbe stato un tipo così, il tipo che si mette camicie hawaiane. Insomma quasi un hipster. E ne deduco che deve assolutamente avere un blog.

«Solo perché i ragazzi in una scuola maschile sono dei depressi sessuali», interviene Evelyn, seduta accanto a Lucas, sbracciandosi nel tentativo di accentuare le sue parole. «L'ho detto prima e lo ripeto ora: le scuole unisex sono un pericolo per l'umanità. Nella nostra scuola il numero delle ragazze che socialmente sono zero perché non hanno mai parlato con un ragazzo…».

«…è totalmente fuori controllo», conclude Lauren, seduta di fronte a Evelyn.

«Adoro la divisa femminile del Truham», sospira Becky. «Quella cravatta dona così tanto», e la sua mano si muove fantasiosamente intorno al collo. «Be', le righine sono molto più belle delle rigone».

«Non è la vita vera», dice Lucas, annuendo con serietà. «Nella vita vera esistono i ragazzi ed esistono le ragazze, non gli uni o le altre».

«Ma quella *cravatta*», insiste Becky, «cioè, *non esiste*».

Annuiscono tutti e poi si mettono a parlare di altro. Io proseguo a fare ciò che mi viene meglio: osservare.

Il ragazzo seduto accanto a Lauren chiacchiera con le ragazze che stanno all'altro capo della tavolata. Lui si chiama Ben Hope. Alla Higgs Ben Hope è *lui*. Con *lui* intendo dire che è il ragazzo dell'ultimo biennio di cui tutte le ragazze dell'intera scuola sono cotte. C'è sempre un *lui*: alto e atletico, pantaloni attillati quanto le camicie. Quando a volte si stira i capelli, giuro-su-Dio, sfida la gravità con le sue acconciature, ma se li lascia al naturale, riccio e scuro com'è, è talmente bello che vorresti morire. Sembra sempre sereno e fa skateboard.

Non che io ne "vada pazza", ma vorrei che fosse chiaro quanto sia perfetto. In effetti, ritengo bellissime un mucchio di persone, che forse sono ancora più belle quando non ne hanno consapevolezza. In fondo, però, essere belli non aiuta tanto la personalità, a parte il fatto che gonfia l'ego e incrementa il senso della vanità.

Ben Hope si accorge che lo sto osservando. Devo tenere lo sguardo sotto controllo.

Lucas si sta rivolgendo a me. Mi sa che sta cercando di coinvolgermi nella discussione, una cosa carina da parte sua, se non fosse per me irritante e superflua. «Tori, a *te*, piace Bruno Mars?»

«Eh?».

Lui esita e Becky interviene: «Tori: Bruno Mars. Su, è fantastico, no?»

«Eh?»

«La-canzone-che-senti:-ti-piace?».

Non mi ero neanche accorta che al ristorante ci fosse della musica di sottofondo. È *Granade* di Bruno Mars. Rapida analisi del brano.

41

«Penso… che non sia credibile che qualcuno si voglia beccare una granata al posto di qualcun altro, o si butti sui binari per amore. È molto controproducente». E poi aggiungo sottovoce, perché nessuno mi senta: «Se vuoi fare una di queste cose, la fai per *te*».

Lauren batte la mano sul tavolo. «Esattamente quello che ho detto io».

Becky mi prende in giro: «A te non piace perché è nella Top 40».

Si fa avanti Evelyn: la sua area di competenza riguarda i *dissing* ed è contro tutto ciò che fa parte del mainstream. «La musica delle classifiche è riempita da ragazze con voci corrette al computer, che diventano famose solo perché indossano pantaloncini fascianti e bandane. L'unica cosa da rapper che sanno fare è *parlare velocemente*».

A dirla tutta, la musica non mi piace così tanto. Mi piace qualche brano qua e là. Se trovo un pezzo che adoro, lo ascolto diciamo una ventina di miliardi di volte finché non lo detesto. Ora come ora, sto in fissa con *Message in a Bottle* dei Police, ma già domenica prossima non lo vorrò sentire mai più in vita mia. Sono proprio scema.

«Ma se è merda, perché finisce in classifica?», domanda Becky.

Evelyn si passa la mano tra i capelli. «Perché viviamo in un mondo commercializzato dove si compra la musica che gli altri hanno già comprato».

Dopo queste parole, mi rendo conto che sulla tavolata cala il silenzio. Mi volto e quasi mi prende un colpo. Nel ristorante è piombato Michael Holden.

So all'istante che è me che cerca. Sorride come un pazzo, con lo sguardo incatenato a questo capo della tavolata. E tutte le teste si girano non appena lui afferra una sedia e prende posto vicino al capotavola, tra me e Lucas. Tutti ci osservano, poi si mettono a mormorare, fare spallucce e finalmente ricominciare a mangiare, perché suppongono che Michael sia stato invitato. Tutti tranne me, Becky, Lucas, Lauren e Evelyn.

«Devo dirti una cosa», mi fa, con lo sguardo ardente. «Devo assolutamente dirti una cosa».

Lauren apre bocca: «Ma tu sei di scuola nostra!».

Lui le offre subito la mano per una stretta. Sinceramente non riesco a dire se sia un gesto ironico oppure no. «Michael Holden, ultimo anno. Piacere, tu sei...?»

«Lauren Romilly, del penultimo». Sconcertata, ricambia la stretta. «Ah, be', felice anch'io di conoscerti».

«Senza offesa», s'intromette Evelyn, «ma, cioè, com'è che sei qui?».

Michael la osserva attento finché lei non si rende conto che deve presentarsi. «Sono... Evelyn Foley?», dice.

Michael alza le spalle. «Lo sei? Non sembri convinta.».

A Evelyn non piace che la prendano in giro. Lui le strizza l'occhio: «Devo parlare con Tori».

Cala un lungo e irritante silenzio, che viene interrotto da Becky: «E... ah... dove hai conosciuto Tori?»

«Il caso ha voluto farci incontrare mentre investigavamo su Solitaire».

La testa della mia amica s'inclina lievemente da un lato per guardarmi: «Tu *investigavi*?»

«Be', *no*», rispondo.

«Quindi?»

«Ho solo seguito le indicazioni dei post-it».

«Che cosa?»

«Ho seguito la direzione che alcuni post-it indicavano fino ad arrivare al blog di Solitaire».

«Ah... fico».

Adoro Becky, ma a volte si comporta come un'oca giuliva e

questo mi fa incazzare perché sta al *liceo*, Cristo santo. E ha preso il diploma GCSE con il massimo dei voti.

Nel frattempo, Michael approfitta dei resti dei nostri antipasti. Con la mano libera indica in modo ambiguo Becky: «Tu sei Becky Allen?».

Lei si volta con calma verso il nuovo arrivato: «Sei un sensitivo?»

«Solo uno stalker piuttosto bravo quando sono su Facebook. Sei fortunata che non sia un serial killer». Il suo dito ancora piegato gravita verso Lucas. «E tu Lucas Ryan, ma ci conosciamo già». Gli fa un sorriso così forzato che sembra quasi accondiscendente. «Dovrei ringraziarti: sei tu ad avermi fatto conoscere questa ragazza».

Lucas annuisce.

«Bella camicia», aggiunge Michael guardandola un po' di sbieco.

«Grazie», risponde Lucas, senza molta convinzione.

Comincio a chiedermi se i due si siano conosciuti al Truham. Probabilmente sì, a giudicare dalle reazioni di Nick e Charlie. Però, forse Lucas non vuole essere associato a Michael Holden. Provo una fitta di dispiacere per lui. Per la *seconda volta*.

Lo sguardo di Michael oltrepassa Becky: «E tu come ti chiami?».

Non capisco subito a chi si sta rivolgendo. Poi vedo Rita, che fa capolino dietro Becky.

«Ah, Rita. Rita Sengupta». Ride. Non so perché ma comunque ride. Rita è l'unica altra ragazza, a parte Becky, Lauren e Evelyn, che tratto in modo civile. Frequenta Lauren ma non si fa notare. È l'unica che conosco che possa permettersi un taglio di capelli alla folletto.

Michael si illumina come se fosse la mattina di Natale: «Rita! Che nome *fantastico*! *Lovely Rita!*».

Prima che capisca che si riferisce alla canzone dei Beatles i discorsi hanno cambiato direzione. Mi stupisco di avere riconosciuto il titolo: detesto i Beatles.

«Quindi, tu e Tori vi siete… *incontrati?* E avete cominciato a parlare?», domanda Becky. «Sembra un po' improbabile».

È buffo perché è vero.

«Già», risponde Michael, «improbabile, già. Però è così che è andata».

Mi guarda di nuovo ignorando con noncuranza tutto il gruppo. Mi sento terribilmente a disagio. È peggio che il drammatico diploma GCSE.

«Insomma, Tori, c'è una cosa che voglio dirti».

Batto le ciglia, le mani sotto il sedere.

Lauren, Becky, Evelyn, Lucas e Rita hanno drizzato le orecchie per ascoltare. Michael li guarda uno a uno da sopra gli occhiali. «Però… io, be', non mi ricordo cosa».

Lucas sogghigna: «L'hai inseguita fino a questo ristorante per dirle qualcosa e ora non ti ricordi nemmeno cosa?».

Stavolta Michael si accorge del tono di Lucas: «*Scusami tanto* se la mia memoria è un colabrodo. Penso di meritarmi un pizzico di fiducia dato che ho fatto lo sforzo di arrivare fin qui».

«Ma non potevi semplicemente mandarle un messaggio su Facebook?»

«Facebook serve per le banalità, roba tipo che cosa stai mangiando o il numero di LOL che ieri sera hai scambiato con la tua "bella"».

Lucas scuote la testa. «Proprio non capisco perché ti sei precipitato qua per poi *dimenticarti*. Se fosse stato importante, non sarebbe successo».

«Invece, forse è più facile dimenticarsi delle cose che più ti importano».

S'intromette Becky: «Allora adesso tu e Tori siete amici?».

Michael continua a fissare Lucas prima di rispondere a Becky: «Che domanda fantastica». Ora si rivolge a me: «Che ne dici, adesso siamo amici?».

In tutta sincerità non riesco a trovare una risposta, perché a mio avviso la risposta non è né sì né no.

«Come possiamo essere amici se di me non sai niente?», chiedo.

Si tamburella il mento, pensieroso. «Vediamo. So che ti chiami Victoria Spring. Sei al 12° anno. La tua pagina Facebook dice che sei nata il 5 aprile. Sei un'introversa con un complesso da disfattista. Ti vesti con cose piuttosto semplici, tipo maglione e jeans: non ami trine e merletti. Non ti importa di vestirti bene per gli altri. Hai ordinato una pizza margherita: sei un palato esigente. Aggiorni di rado la tua pagina Facebook: non ti importa degli eventi sociali. Però ieri hai seguito la pista dei post-it, proprio come me. Sei curiosa». Si sporge in avanti. «Ti piace agire come se non ti importasse di nulla, e se continui così finirai per cadere nell'abisso che ti sei immaginata per te stessa». Tace. Il suo sorriso svanisce e ne rimane soltanto un ricordo spettrale.

«Dio, ragazzi, sei uno *stalker*!». Lauren accenna una risata, ma nessuno la imita.

«No», replica Michael, «faccio solo attenzione».

«Sembra quasi che tu ti sia innamorato di lei», insinua Evelyn.

Sul volto di Michael appare un sorriso consapevole: «Mi sa che un po' è così».

«Però tu sei gay, vero?», chiede Lauren, che non ha mai paura di dire quello che tutti pensano. «Cioè, ho sentito dire che sei gay».

«O-oh, hai *sentito* parlare di me?». Si sporge. «Intrigante».

«Ma lo sei?», domanda Lucas, che vorrebbe avere un tono disinteressato ma non ci riesce.

Michael agita una mano. «C'è chi lo sostiene». Poi con un sorrisone punta il dito su di lui: «Chi lo sa, magari sono innamorato di *te*».

Lucas subito arrossisce.

«Sei gay», squittisce Becky. «Tori ha un amico del cuore gay! Sono *gelosa*!». A volte l'amicizia con Becky è fonte d'imbarazzo.

«Devo fare pipì», dico, anche se non è vero. Mi allontano dalla tavolata e mi ritrovo nel bagno del ristorante, a guardarmi allo specchio mentre P!nk mi dice di sollevare gli occhiali. Ci resto troppo a lungo. Le signore, che entrano ed escono dai bagni, mi scrutano. Davvero, non so cosa sto facendo. Continuo a ripensare alle parole di Michael: *cadere nel mio abisso.* Non lo so. Perché è così importante? Perché mi preoccupa tanto?

Mamma mia, ma perché ho deciso di uscire stasera?!

Continuo a guardarmi allo specchio mentre immagino una voce che mi esorta a essere divertente, chiacchierina e felice come le persone normali. Seguendo le raccomandazioni di questa voce, comincio a sentirmi un po' più positiva sulla faccenda, anche se quel che rimaneva dell'entusiasmo sorto per avere rivisto Lucas è scomparso. Probabilmente a causa della camicia hawaiana. Rientro al ristorante.

Cinque

«Doveva essere una pipì molto lunga», commenta Michael mentre mi risiedo. È ancora qui. Parte di me sperava che se ne fosse andato.

«Sembra che la cosa ti abbia colpito».

«In effetti sì».

Becky, Evelyn e Lauren adesso stanno chiacchierando con le ragazze del nostro anno, sedute al capo opposto della tavolata, che non conosco bene. Lucas accenna un sorriso diretto a me. Rita sorride soprattutto a Lauren: stanno parlando di una ragazza che ci frequentava e che si è trasferita al Truham per l'ultimo biennio, dichiarando che preferiva «i ragazzi alle ragazze», e adesso non fa che organizzare feste dove ti siedi a terra e ti fai di acidi e di fumo.

«Quindi, sei gay?», gli chiedo.

Batte le palpebre. «Wow, ragazzi, per voi è proprio una faccenda importante».

Non è importante, in realtà non me ne frega niente.

«Ti attraggono i ragazzi?», insisto facendo spallucce. «O le ragazze? C'è un modo per verificarlo, se non ne sei sicuro». Di nuovo alzo le spalle. Non m'importa. Non m'importa.

«Mi attraggono tutti, francamente», mi risponde. «Anche per piccoli particolari: alcune persone hanno mani bellissime. Non lo so. Mi sa che mi innamoro un po' di chiunque incontro, ma credo che sia normale».

«Allora sei bisex».

Sorride mentre si sporge in avanti. «Ami tutte queste parole, non è vero? Gay, bisex, attrazione...».

«No», lo interrompo, «no, le detesto».

«Allora, perché mettere un'etichetta sulle persone?».

Inclino il capo. «Perché è la vita. Senza un'organizzazione cadremmo nel caos».

Si raddrizza sulla sedia mentre mi guarda divertito. Non posso crederci: ho usato la parola "cadere".

«Be', se ci tieni tanto, allora tu cosa sei?», mi domanda.

«Cosa?»

«Cosa sei? Lesbo, normale, una infoiata o cosa?»

«Ehm... normale».

«E sei *certa* di essere normale? Ti è mai piaciuto un ragazzo?».

In effetti, no. Mai. Ma è perché ho un'opinione molto bassa della maggior parte della gente.

Abbasso lo sguardo. «Allora facciamo così: se mi innamoro di una ragazza ti avverto subito».

Michael mi guarda di sottecchi, ma non commenta. Spero di non essere incappata in un omofobico.

«Ti sei ricordato cosa sei venuto a dirmi?», gli chiedo.

Si liscia i capelli, con la netta scriminatura di lato. «Forse. Forse domani. Vedremo».

Poco dopo, è per tutti l'ora di andarsene. Senza accorgermene ho speso sedici sterline e Lucas insiste a prestarmi quella che mi manca, una cosa piuttosto carina da parte sua. Fuori dal ristorante, restiamo in piedi a chiacchierare e lo vedo parlare calorosamente con Evelyn. La maggior parte di noi andrà da Lauren, per una specie di pigiama party: le altre hanno l'intenzione di ubriacarsi e roba simile, anche se è martedì. Becky mi spiega che non mi ha invitato perché tanto non sarei voluta venire (buffo perché vero) e Ben Hope, che l'ha sentita, mi guarda con commiserazione. Lei risponde al suo sorriso, e compatirmi li unisce per un istante. Decido di rientrare a casa a piedi. Michael vuole accompagnarmi e, non sapendo davvero come impedirglielo, mi sa che glielo lascerò fare.

Ci avviamo in silenzio per la via dei negozi: è vittoriana e scura, e l'acciottolato è così scavato che sembra di percorrere una trincea. Un uomo elegante ci oltrepassa frettoloso mentre con il cellulare domanda a qualcuno: «Già senti qualcosa?».

Chiedo a Michael il motivo per cui mi sta accompagnando.

«Perché casa mia è in questa direzione. Il mondo non gira attorno a te, Victoria Spring». Vuole essere ironico, però lo sento ancora un po' contrariato.

«*Victoria*», dico con un brivido.

«Eh?»

«Per favore, non chiamarmi *Victoria*».

«E perché no?»

«Mi fa pensare alla regina Vittoria, quella che si è vestita di nero per tutta la vita dopo la morte del marito. E "Victoria Spring" sembra il nome di un'acqua minerale».

Il vento intorno a noi si fa più forte.

«Neanche a me piace il mio nome», confessa.

Subito penso a tutti i Michael che non mi piacciono: Michael Bublé, Michael McIntyre, Michael Jackson.

«Michael significa "che assomiglia a Dio"», spiega, «e credo che, se Dio volesse scegliere l'essere umano a cui assomigliare...».

S'interrompe così, in piena strada, a guardarmi, soltanto guardarmi, attraverso il vetro delle lenti, attraverso l'azzurro e il verde, attraverso la profondità e la larghezza, mentre un miliardo di pensieri incomprensibili trasudano da lui.

«...non sceglierebbe me».

E riprende il cammino.

Immagina se mi avessero affibbiato un nome biblico come Abigail, Charity o, non so, *Eva*, per carità. Sono molto critica verso la religione, e forse per questo finirò all'inferno, se mai esiste, cosa di cui, francamente, dubito. Ma non mi preoccupa molto, perché qualsiasi cosa accada lì non può essere molto peggio di quanto succede qui.

«Bene», replico, «appoggio i laburisti, ma le persone mi chiamano Tori. Come i Tories. Se ti fa sentire meglio».

Non risponde, ma sono troppo impegnata a osservare il marrone chiaro dei ciottoli per vedere se mi sta guardando. Dopo un po' dice: «Appoggi i *laburisti*?».

In quel momento mi rendo conto di essere congelata: ho dimenticato che siamo nel pieno di un inverno piovoso ed eccomi qua in camicetta, maglione e jeans leggeri. Avrei dovuto chiamare mia madre, ma detesto disturbarla perché mi risponde sempre mormorando che «no, no, va benissimo, non mi secca», e invece sento che è davvero seccata.

Un silenzio accompagnato da un vago aroma di takeaway indiano riempie la strada, fin quando non giriamo a destra sulla via principale, dove ci sono gli edifici a tre piani, tra cui quello dove abito. Due ragazze ci oltrepassano con tacchi iperbolici e vestiti strizzati. Una dice all'altra: «Aspetta, chi cazzo è Lewis Carroll?». Immagino di estrarre una pistola dalla tasca, sparare a loro e poi uccidermi.

All'altezza di casa mia, mi fermo. L'entrata è un po' al buio perché il lampione vicino non funziona.

«Io vivo qui», dico iniziando ad allontanarmi da lui.

«Aspetta-aspetta-aspetta», replica, e io mi torno a girare. «Posso chiederti una cosa?».

Non resisto e gli rispondo, ironica: «L'hai appena fatto, ma continua pure».

«Davvero non possiamo essere amici?».

Sembrano le parole di una bambina di otto anni che tenta di ricucire con l'amichetta del cuore, che si è appena offesa per uno sgraziato commento negativo sulle sue scarpe nuove e ha deciso di non andare alla festa di compleanno dell'altra.

Anche lui indossa solo una maglietta e dei jeans.

«Non ti stai congelando?», chiedo.

«Per favore, Tori. Perché non vuoi che sia tuo amico?», insiste con un tono quasi disperato.

«Perché *vuoi* essere amico *mio*?». Scuoto il capo. «Non siamo dello stesso anno, non ci assomigliamo in nulla, ma proprio nulla, e quindi non capisco perché te ne importi qualcosa di...». Mi fermo poiché la parola successiva sarebbe stata "me", ma mi sono appena resa conto che, se la pronunciassi, ne verrebbe fuori una scena di puro horror.

Lui abbassa lo sguardo. «Non penso che... capisco... eppure...».

Resto lì in piedi, a osservare.

«Be' sai, si dice che il comunismo estremo e il capitalismo estremo siano di fatto molto simili», dice.

«Ti sei fatto?», replico.

Scuote la testa con una risata: «Mi ricordo cosa volevo dirti, sai».

«Ah sì?!».

«In realtà non me lo sono mai scordato. Solo che non volevo che gli altri lo sentissero, perché non sono fatti loro».

«Allora perché mi hai seguito fin dentro un ristorante affollato? Mi beccavi a scuola, no?».

Per un istante, appare sinceramente offeso: «Pensi che non ci abbia *provato*?». Ride. «Sei come un fantasma!».

Non girarmi e alzare i tacchi richiede un grande sforzo di volontà.

«Volevo soltanto dirti che ti avevo già conosciuta».

Mamma mia, di nuovo: «Me lo hai detto ieri».

«Ma non alla Higgs. Ti ho conosciuta quando hai visitato il Truham. L'anno scorso. La visita alla scuola l'hai fatta con me».

La rivelazione fa rifiorire un ricordo. Ma certo. Michael Holden mi ha premurosamente mostrato il Truham all'epoca in cui dovevo decidere la scuola da frequentare per il *sixth form*. Mi aveva chiesto che materie volevo affrontare per la maturità, se mi piacesse tanto la Higgs, se avessi degli hobby e se fossi una patita dello sport. Infatti, tutto quello che aveva detto era indiscutibile.

«Ma…». È impossibile. «Ma tu eri così… *normale*».

Alza le spalle sorridendo, mentre qualche goccia di pioggia gli bagna il volto e sembra che stia piangendo. «Ci sono luoghi e momenti in cui essere normali. Per la maggioranza delle persone, essere normali è la modalità standard. Però, per alcuni, come te e me, la normalità è qualcosa che dobbiamo indossare, come un abito elegante per una cena chic».

Cosa?! Adesso fa il profondo?!

«Perché hai avuto bisogno di raccontarmelo? Perché hai avuto bisogno di rintracciarmi? Perché era così importante?».

Di nuovo fa spallucce. «Non credo che lo fosse. Però volevo conoscerti. E di solito, se voglio qualcosa, riesco a ottenerla».

Lo guardo. Avevano ragione Nick e Charlie: è del tutto fuori di testa.

Solleva una mano e mi saluta. «Ci vediamo presto, Tori Spring».

E poi si allontana. Resto lì, sotto il lampione rotto e la pioggia, nel mio maglione nero, a chiedermi se già provo qualcosa e mi rendo conto che è tutto molto buffo perché è tutto molto vero.

Sei

Rientrando a casa, mi fermo in sala da pranzo a salutare la mia famiglia. Come al solito, stanno ancora cenando. Be', tutti tranne Oliver. Dato che a casa mia la cena è una faccenda che richiede due-tre orette, Oliver ha sempre avuto il permesso di alzarsi non appena ha finito e ora lo sento che gioca a *Mario Kart* in salotto. Decido di unirmi a lui. Se dovessi scambiare il mio corpo con quello di un altro, sceglierei il suo.

«Toriiiiii!». Appena entro si rigira sul futon e allunga le braccia verso di me come uno zombie che si solleva dalla tomba. Deve essersi rovesciato lo yogurt sul pullover oggi a scuola e sul viso ha degli sbaffi colorati. «Non riesco a vincere su Rainbow Row! Aiutami!».

Con un sospiro, mi accomodo accanto a lui sul futon e acchiappo il joystick di riserva. «È una pista impossibile, Ollie».

«No!», frigna. «Niente è impossibile. Credo sia il gioco che imbroglia».

«Il gioco non può imbrogliare».

«E invece sì. Imbroglia di proposito».

«Non ti imbroglia, Ollie».

«*Charlie* ci riesce, ma io non gli piaccio».

Con un grande ed esagerato «Ah!!!» balzo in piedi sul futon. «Insinui forse che Charlie sia *più* bravo di *me* a *Mario Kart*?». Scuoto il capo. «Eh no, no-no-no-no. Io sono l'Imperatrice di *Mario Kart*».

Oliver ride e gli si scompigliano i capelli. Ricado sul futon e sollevo mio fratello perché mi sieda in grembo.

«Va bene», affermo. «Rainbow Row, è finita».

Non bado da quant'è che giochiamo, ma dev'essere da molto se mamma arriva piuttosto seccata: non succede spesso. Di solito è impassibile.

«Tori», mi dice, «Oliver dovrebbe essere a letto già da un'ora».

Mio fratello sembra non udirla e io alzo lo sguardo dal gioco. «Non è affar mio», rispondo.

Mia madre mi guarda, priva di espressione. «Oliver, è ora di andare a letto», dice, ma non smette di fissarmi.

Lui spegne il gioco e trotterella via, dandomi il cinque mentre si alza. Anche se adesso è uscito dalla stanza, mamma continua a guardarmi.

«Mi devi dire qualcosa?», le chiedo.

Pare di no: si volta e si allontana. Mi faccio un giro veloce di *Luigi Circuit* prima di ritirarmi in camera mia. Non penso di piacere molto a mia madre. Non che importi davvero, dato che anche lei non mi piace tanto.

Accendo la radio e mi dedico al blog fino a notte fonda. La radio trasmette musicaccia dubstep, però il volume è basso e non mi disturba. Mi alzo dal letto solo per i cinque viaggi che faccio di sotto per rifornirmi di limonata diet. Controllo il blog di Solitaire, ma non ci sono novità. Così passo ere intere scorrendo le pagine dei blog che preferisco, ripostando fotogrammi fuori contesto di *Donnie Darko*, *Submarine* e *I Simpson*. Scrivo un paio di post lamentosi su neppure so cosa e quasi cambio la foto del mio profilo, ma non ne trovo una in cui sembro *normale*, così armeggio per un po' con la struttura HTML del blog per vedere se riesco ad annullare lo spazio tra i post. Sbircio Michael su Facebook, ma sembra che lo usi perfino meno di me. Mi guardo qualcosa di *QI*, però non lo trovo più né interessante né divertente, perciò mi vedo *Little Miss Sunshine*, che ieri non avevo finito di guardare. È come se non fossi capace di vedere un film intero nello stesso giorno, perché non sopporto l'idea che la storia finisca.

Dopo un po', appoggio il portatile di fianco a me e mi distendo. Penso a tutti quelli della tavolata che ormai probabilmente saranno fatti e staranno pomiciando tra loro sui divani di casa di Lauren. A un certo punto mi addormento, ma sento dei cigolii che provengono da fuori e qualcosa nel mio cervello afferma che deve per forza esserci una sorta di gigante e/o di demone che si aggira per strada, per cui mi alzo e chiudo la finestra, per essere sicura che non possa entrare qui.

Una volta tornata a letto, tutto quello che si è in grado di pensare in un giorno decide di ricomparire all'improvviso, e nella mia testa troneggiano lampi e fulmini. Ripenso a Solitaire e poi a Michael Holden e alla ragione per cui ha detto che dovremmo essere amici, e a come era quando l'ho visto al Truham. Penso a Lucas e al suo imbarazzo, e mi chiedo perché abbia impiegato tante energie solo per ritrovarmi. E poi alla sua camicia hawaiana e a quanto mi ha irritato, perché odio considerarlo un aspirante membro di una band indie. A quel punto apro gli occhi e mi metto a navigare su Internet pur di non ripensarci. Quando la calma è tornata, mi addormento con il viso inondato dal chiarore della pagina del mio blog, mentre i mormorii del portatile rassicurano la mente come grilli in un campeggio.

Sette

Da Solitaire non ci attendevamo altro. Pensavamo che quello scherzo chiudesse la faccenda.

Ci sbagliavamo alla grande.

Mercoledì, sono scomparsi come per magia tutti gli orologi e sono stati rimpiazzati da fogli di carta con la scritta *"Tempus fugit"*. Dapprincipio lo abbiamo trovato divertente, ma qualche ora dopo, a metà della giornata, quando eravamo a lezione senza il cellulare a portata di mano, non avere un modo per sapere che ore sono, be'... ci ha fatto venire voglia di cavarci gli occhi.

Quello stesso giorno, poi, c'è stato un momento di isterismo durante l'assemblea scolastica, quando *SexyBack* di Justin Timberlake, il brano più amato dai discotecari dell'8° anno dei due licei Higgs-Truham, è partito dagli altoparlanti mentre Kent saliva i gradini del palco, e sullo schermo del proiettore appariva la parola STILOSO.

Giovedì, al nostro arrivo a scuola abbiamo scoperto che erano stati liberati due gatti all'interno dell'edificio. Anche se i bidelli erano riusciti ad agguantarne uno, l'altro – un micio rosso e affamato dagli occhi grandissimi – ha evitato la cattura per tutto il giorno, gironzolando qui e lì tra le aule e i corridoi. I gatti mi piacciono parecchio. A mensa, quando è zompato su una sedia e si è unito al Nostro Gruppo, come se volesse condividere i gossip e commentare le discussioni delle star su Twitter o l'attuale clima politico, ho avuto la sensazione che fosse come un nuovo amico. Ho pensato che forse dovrei iniziare a collezionare gatti, dato che potrebbero essere la mia unica compagnia nei prossimi dieci anni.

«Il mio spirito animale sarebbe *assolutamente* un gatto», ha detto Becky.

Lauren ha annuito: «Il gatto è l'animale della Gran Bretagna».

«Il mio ragazzo ha un gatto che si chiama Steve», ha aggiunto Evelyn. «Non è un nome eccezionale per un gatto? *Steve*».

Becky ha alzato gli occhi al cielo: «Evelyn, bella, quando ci dirai chi è il tuo ragazzo?».

L'altra ha risposto con un sorriso fingendo imbarazzo.

Ho osservato gli occhi scuri del micione e lui ha ricambiato con uno sguardo pensieroso. «Vi ricordate di quelle signore fotografate mentre buttavano un gatto nel bidone dell'umido? Sono diventate un caso nazionale!».

Per ogni scherzo erano state scattate delle foto, poi postate nel blog di Solitaire.

Comunque.

Oggi siamo a venerdì e la gente comincia a divertirsi di meno a sentire dagli altoparlanti *Material Girl* di Madonna per tutto il giorno. Per quel brano avevo avuto una piccola ossessione ma sono solo le 10:45 e sono già a un passo dal tagliarmi le vene con il rasoio. Ancora non riesco bene a capire come Solitaire ci sia riuscito visto che, da mercoledì, dopo la storia degli orologi, la scuola è pattugliata da Zelda e dai capoclasse.

Nell'intervallo mi siedo a un tavolo per giocare a scacchi sul cellulare, nelle orecchie le cuffie dell'iPod che fa esplodere alcuni pezzi dei Radiohead in modo da estromettere quella musica vomitevole. Nella sala comune ci sono poche persone sparpagliate, la maggior parte alunni dell'ultimo anno che ripassano per gli esami di riparazione di gennaio. La signorina Strasser supervisiona perché, in orario di lezione, la sala comune è riservata a chi deve ripassare e il silenzio è d'obbligo.

Che è il motivo per cui mi piace questa stanza. A parte oggi. La Strasser ha coperto l'altoparlante con una felpa della scuola, però non serve a molto.

In un angoletto, Becky e Ben sono seduti uno accanto all'altra. Non stanno facendo i compiti e sorridono entrambi. Becky non fa altro che risistemarsi le ciocche dietro le orecchie. Ben le prende una mano per disegnarci sopra. Distolgo lo sguardo. Addio, Jack.

Qualcuno mi batte sulla spalla e ho un improvviso microsussulto. Tolgo gli auricolari e mi giro.

Di fronte a me c'è Lucas. Per tutta la settimana, ogni volta che ci siamo incrociati nei corridoi, mi ha salutato con la mano in un modo bizzarro, oppure mi ha sorriso. Non lo so, il tipo di sorriso che ti accartoccia la faccia e, in ogni altro contesto, farebbe pensare che c'è qualcosa di sbagliato in te. Comunque, ora come ora, porta la borsa appesa alla spalla e nell'altra mano una pila di almeno sette volumi.

«Ciao», dice quasi sussurrando.

«Ciao», rispondo. Dopo un breve silenzio aggiungo: «Ehm, vuoi sederti qui?».

L'imbarazzo gli inonda il volto, ma replica subito: «Sì sì, grazie». Prende la sedia accanto alla mia, molla borsa e libri sul tavolo e si siede.

Ho ancora il cellulare in mano e lo sto fissando.

Infila la mano in borsa e prende una lattina di Sprite. La piazza di fronte a me, come un gatto poserebbe un topo mangiucchiato dinanzi al suo padrone. «A ricreazione sono stato al bar», racconta senza guardarmi negli occhi. «È sempre la limonata la tua bibita preferita?»

«Ehm...». Abbasso lo sguardo sulla lattina, indecisa su cosa farci. Non mi va di sottolineare che la Sprite non è una vera limonata e che non è dietetica. «Ehm, già, sì. Grazie, è, be', molto carino da parte tua».

Lucas annuisce e si volta. Apro la Sprite per sorseggiarla, infilo di nuovo gli auricolari e torno al mio gioco. Dopo solo tre mosse devo di nuovo togliermi le cuffie.

«Giochi a scacchi?», mi chiede. Detesto le domande inutili.

«Ehm, sì».

«Ti ricordi il circolo degli scacchi?».

Alle elementari, Lucas e io facevamo parte del circolo scacchistico. Giocavamo sempre l'una contro l'altro, ma non sono mai riuscita a batterlo. E ogni volta che perdevo facevo i capricci. Dio, quant'ero stronza.

«No», mento, come faccio spesso senza alcuna ragione. «No, non me lo ricordo».

Tace e per un momento credo che riesca a leggermi dentro, ma è troppo mortificato per insistere.

«Hai un mucchio di libri», dico, come se non lo sapesse.

Annuisce con un sorriso impacciato. «Leggere mi piace. E sono appena passato in biblioteca».

I titoli li conosco tutti, ma ovviamente non ne ho letto nessuno: *La terra desolata* di T.S. Eliot, *Tess dei d'Urbervilles* di Thomas Hardy, *Il vecchio e il mare* di Hemingway, *Il grande Gatsby* di F. Scott Fitzgerald, *Figli e amanti* di D.H. Lawrence, *Il collezionista* di John Fowles e *Emma* di Jane Austen.

«E quale stai leggendo adesso?». I libri almeno sono un argomento di conversazione sicuro.

«*Il grande Gatsby*, di Fiztgerald».

«Di che parla?»

«Di…». S'interrompe per riflettere. «Di uno che è innamorato di un sogno».

Annuisco come se fosse chiaro. Ma non lo è. Non so nulla di letteratura, anche se la porterò all'esame di maturità.

Prendo in mano *Emma*. «E questo significa che ora ti piace Jane Austen?». A lezione stiamo studiando *Orgoglio e pregiudizio*, che ti distrugge l'anima. Non leggetelo.

China la testa come se fosse di fronte a una domanda profondissima. «Sembra che la cosa ti sorprenda».

«Infatti. *Orgoglio e pregiudizio* è terrificante. Ho avuto difficoltà ad andare oltre il primo capitolo».

«Come mai?»

«È l'equivalente letterario di una telenovela squallida».

Qualcuno si alza e per farlo passare dobbiamo avvicinare un po' le nostre sedie. Lucas mi osserva con grande attenzione e la cosa non mi piace.

«Sei diversa», afferma scuotendo il capo e guardandomi di sbieco.

«Magari sono cresciuta di qualche centimetro rispetto a quando avevo undici anni».

«No, è...». Si blocca.

Poggio il telefonino. «Cosa, "è" cosa?»

«Sei più seria».

Nemmeno mi ricordo di essere stata diversa da così. Da quanto ne so, sono uscita dal grembo di mia madre zampillando cinismo e desiderando la pioggia. Sono indecisa su come replicare. «Sono, be', forse sono la persona meno divertente dall'epoca di Margaret Thatcher».

«Be', ma inventavi sempre tanti giochi immaginari. Come le nostre battaglie di Pokémon. O la base segreta che hai costruito in un angolo del parco giochi».

«Vorresti fare una battaglia di Pokémon?», chiedo incrociando le braccia. «O pensi che mi manchi la fantasia?»

«*No*». Si sta scavando la fossa, uno spettacolo piuttosto buffo. «Io... oh be', non lo so».

Inarco le sopracciglia. «Desisti quando sei ancora in vantaggio. Ora sono noiosa. Una causa persa». E di colpo vorrei aver tenuto la bocca chiusa. Mi accade sempre di dire cose autodenigratorie che causano agli altri vero imbarazzo, soprattutto se ho ragione. Inizio a desiderare di non avergli chiesto di sedersi accanto a me. E lui si mette rapido a lavorare sulle cose che ha tirato fuori dalla borsa.

Material Girl va ancora a ripetizione. Pare che i bidelli stiano cercando di riparare il guasto, ma sembra che, al momento, l'unica soluzione sia togliere l'elettricità a tutti gli edifici e questo, secondo Kent, significherebbe "arrendersi". Il vecchio professor Kent ha l'atteggiamento di Churchill durante la seconda guerra mondiale. Do un'occhiata fuori dalle finestre, dietro ai PC. So che dovrei fare un po' di compiti, però preferisco giocare a scacchi e ammirare il paesaggio grigio e ventoso. Ecco il problema peggiore che ho a scuola: non faccio niente a meno che non lo voglia davvero. E la maggior parte delle volte non voglio fare un bel nulla.

«Hai avuto una bella prima settimana», dico con gli occhi ancora persi nel cielo.

«La migliore di tutta la mia vita», risponde. A me sembra che esageri, ma ognuno è libero di pensarla come crede.

Lucas è proprio un ingenuo. Impacciato e ingenuo. Infatti, è tanto impacciato che sembra quasi che reciti. So che probabilmente non è così, eppure è questa l'impressione che dà. Insomma, ora come ora essere impacciati è molto di moda. È frustrante. Ho vissuto la mia bella dose di goffaggine e la goffaggine non è *fica*, *non* ti rende più attraente e *di certo* non fa tendenza. Ti fa solo sembrare scemo.

«Perché abbiamo smesso di essere amici?», chiede senza guardarmi.

Dopo un breve silenzio apro bocca: «Le persone crescono e passano oltre. Così è la vita».

Mi pento d'averlo detto, per quanto possa essere vero. Nei suoi occhi intravedo un guizzo di tristezza che subito scompare.

«Be'», ribatte girandosi verso di me, «noi non siamo ancora cresciuti».

Tira fuori il cellulare e comincia a leggere qualcosa. Vedo che l'espressione del suo viso diventa confusa. La campanella di fine ricreazione riesce in qualche modo a sovrastare la musica e lui mette via il telefonino per iniziare a raccogliere le sue cose.

«Hai lezione?», chiedo. Mi rendo subito conto che è una di quelle domande inutili, che detesto.

«Storia. Ci vediamo dopo».

Si allontana, ma dopo qualche passo torna indietro, come se dovesse aggiungere qualcosa. Invece se ne resta in piedi. Gli faccio un sorriso sbieco e lui contraccambia prima di andarsene. Lo guardo mentre s'imbatte in un tipo con il ciuffo, con cui si mette a chiacchierare mentre escono dalla sala comune.

Finalmente in pace, torno alla mia musica. L'iPod ora suona Aimee Mann, una dei tanti artisti depressivi degli anni Novanta che nessuno conosce. Mi viene da chiedermi dove sia Michael Holden. Non lo vedo da martedì, né ho il suo numero di telefono. E comunque, anche se lo avessi, non gli scriverei. Non mando messaggi a nessuno.

Nell'ora successiva non faccio un granché. A dire la verità, forse avrei avuto lezione, ma non riesco a trovare la forza di andarci. Per un attimo, mi chiedo di nuovo chi possa essere Solitaire, e per la miliardesima volta rispondo che tanto non mi interessa. Metto la sveglia sul cellulare per ricordarmi di accompagnare Charlie alla terapia, stasera, perché Nick ha altri impegni. Poi me ne sto tranquilla, con la testa appoggiata a un braccio, e mi appisolo.

Mi sveglio appena prima della campanella. Giuro su Dio che sono fuori di testa. Dico sul serio. Un giorno dimenticherò di svegliarmi.

Otto

Sono stravaccata sulla scrivania dei PC nella sala comune alle 8:21 di lunedì mattina e Becky farnetica su quanto Ben Hope sia stato carino con Lauren (un fatto accaduto sei giorni fa, per la miseria) quando uno sulla soglia dà fiato alle trombe: «QUALCUNO HA VISTO TORI SPRING?».

Risorgo dai morti: «Oh mio Dio».

Becky grida che sono lì, senza rivolgersi a nessuno in particolare, e, prima che mi possa nascondere sotto al tavolo, Zelda Okoro mi si pone dinanzi. Appiattisco i capelli nella speranza che facciano scudo al suo dispotismo. Zelda si presenta a scuola sempre con un trucco perfetto, che include rossetto e ombretto, e credo che sia matta da legare.

«Tori, ti ho nominata per l'Operazione Invisibilità».

Quando dopo qualche secondo ho registrato l'informazione, mi ribello: «No, non lo farò. No. *No*».

«Sì. Non devi aggiungere nulla. Sei stata votata tra gli studenti del 12° anno».

«Che cosa?!». Crollo di nuovo sulla scrivania. «A che serve?».

Zelda mette le mani sui fianchi e inclina il capo: «Stai affrontando un momento critico, Tori». Parla troppo veloce e con frasi molto sintetiche: non mi piace. «La Higgs sta affrontando un momento critico. La squadra degli otto capoclasse non è sufficiente. Alziamo la quota del gruppo per le operazioni di sorveglianza a quindici. L'Operazione Invisibilità è una prova. Domani. Ore sette».

«Scusa... *che cosa* hai detto?»

«Siamo giunti alla conclusione che la maggioranza dei sabotaggi ha avuto luogo di mattina presto. Quindi domani inizia la sorveglianza. Ore sette. Ed è bene che tu ci sia».

«Vi detesto», bofonchio.

«Non te la prendere con me», ribatte, «ma con Solitaire». E trotterella fuori.

Becky, Evelyn, Lauren e Rita sono tutte intorno a me. Anche Lucas. Mi sa che ormai fa parte del Nostro Gruppo.

«Bene, è ovvio che per i professori fai parte dei buoni», dice Becky. «La prossima volta ti faranno diventare capoclasse».

La fulmino con uno sguardo angosciato.

«Già, e se sei capoclasse, salti la fila alla mensa», prosegue Lauren. «Pranzo pronto, ragazza! E puoi punire le primine, se fanno troppo chiasso».

«Che avrai mai fatto per farti amare dai professori?», domanda Becky. «Non direi che ti sei impegnata molto».

Alzo le spalle, ha ragione. Non ho fatto proprio nulla.

Qualche ora dopo, m'imbatto in Michael, nel corridoio. Dico "m'imbatto" ma in realtà grida «TORI» a voce così alta che mi cade la borsa a terra. Lui se ne esce con quella risata assordante, gli occhi sepolti dietro le lenti, si ferma di colpo in mezzo al corridoio e tre ragazzine dell'8° gli vanno a finire addosso. Lo guardo, raccolgo la borsa e lo oltrepasso.

Adesso sono a lezione d'Inglese, leggiamo *Orgoglio e pregiudizio*. Siamo al capitolo 16 e ormai ho stabilito che detesto questo romanzo con tutto il cuore. È noioso e scontato, e sono posseduta dalla brama costante di metterlo sopra un fiammifero acceso. Le donne pensano solo agli uomini e gli uomini sembrano non pensare affatto. Con l'eccezione di Darcy, forse. Lui non è male. Tra quelle che vedo, l'unica persona che sembra davvero intenta nella lettura, con espressione tranquilla e calma, è Lucas, anche se ogni tanto dà un'occhiata al cellulare. Sotto il banco, scorro qualche blog dal mio telefonino, ma lì non accade nulla di interessante.

Becky, al banco vicino al mio, chiacchiera con Ben Hope, e purtroppo potrei sfuggirli solo cambiando posto, abbandonando la lezione o morendo. Giocano a Punti e Linee sul diario di Ben e lei non vince mai.

«Stai *barando*!», esclama Becky, e tenta di prendergli la penna. La risata di risposta di Ben è molto sexy. Lottano come piccole furie per impossessarsi della penna. Cerco di non vomitare o di scomparire sotto il banco.

A pranzo, nella sala comune, Becky racconta a Evelyn quanto successo con Ben. A un certo punto, le interrompo: «E Jack che fine ha fatto?», chiedo alla prima.

«Jack chi?», è la risposta. Non batto ciglio e Becky si gira di nuovo verso Evelyn.

Nove

Il mattino successivo, mio padre mi accompagna a scuola alle 6:55. Sono in trance. In macchina mi dice: «Se magari li cogli sul fatto, ti daranno un premio».

Non so che razza di premio potrebbero darmi, ma sento di essere la persona con meno probabilità al mondo di ottenerlo.

Zelda, i suoi capoclasse, gli aiutanti prescelti e perfino il vecchio Ken sono nell'atrio e io sono l'unica a essermi presentata in divisa. Fuori è praticamente notte. Il riscaldamento non è ancora partito. Mi congratulo con me stessa per aver indossato un doppio paio di calze, stamattina.

Zelda, in leggings, scarpe da corsa e felpa con cappuccio della Superdry, prende il comando. «Okay, Squadra Operativa. Oggi è il giorno in cui li acchiappiamo, d'accordo? A ciascuno verrà assegnata una zona diversa della scuola. Sorvegliatela e chiamatemi se scoprite qualcosa. Fino a venerdì, a scuola non ci sono eventi, per cui è possibile che oggi non si facciano vedere. Ma noi continueremo a pattugliarla finché non saremo certi che la scuola è tornata sicura, indipendentemente dal fatto che prenderemo o meno i responsabili di questi scherzi. Ci rivediamo nell'atrio alle otto».

Ma perché mai sono venuta qui?

I capoclasse cominciano a chiacchierare fra loro e Zelda parla a ciascuno separatamente prima di spedirlo nelle viscere buie e fredde degli edifici.

67

Quando arriva a me, mi dà un foglietto dicendo: «Tori, tu sorvegli le aule dei computer. Ecco il mio numero».

Annuisco e inizio ad allontanarmi.

«Ehm, Tori».

«Sì?»

«Hai l'aria un po'…», ma non conclude la frase.

Sono le sette. Vaffanculo.

Me ne vado e butto il foglietto nel primo cestino della carta che incontro. Mi fermo perché trovo Kent, sinistramente in piedi presso la porta dell'atrio.

«Perché me?», gli chiedo. Lui inarca le sopracciglia e mi sorride. Ruoto gli occhi e proseguo sulla mia via.

Aggirarsi così per la scuola è singolare. È tutto inerte. Sereno. Immobile. Mi muovo in un fermo-immagine.

Le aule dei PC sono al primo piano della palazzina C. Sono sei: C11, C12, C13, C14, C15 e C16. Manca il ronzio che si sente di solito: i computer sono tutti spenti. Socchiudo la C11, accendo le luci e poi le rispengo, e così per la C12, la C13 e la C14, dove mi arrendo e prendo posto su una sedia girevole. Cosa pensa di fare Kent coinvolgendomi? Davvero crede che mi metterò a "sorvegliare" la scuola? Do un calcio alla porta e comincio a ruotare su me stessa. Il mondo vortica intorno a me.

Non so per quanto mi ci abbandono, ma appena mi fermo per leggere l'ora l'orologio ondeggia di fronte a me, finché non si placa: le 7:16. Mi chiedo almeno per la sedicesima volta che cosa ci faccio io qui.

Proprio adesso, sento il suono, distante, del jingle di un Windows che si avvia.

Mi alzo ed esco in corridoio. Guardo da una parte, poi dall'altra. In entrambe le direzioni il corridoio si dissolve nel buio, però dalla porta aperta della C13 arriva un bagliore bluastro intermittente. Avanzo lentamente ed entro.

La lavagna interattiva è accesa, con il proiettore che ronza felice, la schermata di Windows in evidenza. Mi fermo davanti alla lavagna, rapita. Lo sfondo è costituito da un prato verde in pendio sotto un cielo azzurro. Più lo fisso, più sembra che lo schermo si espanda, finché quel finto mondo di pixel non invade il mio. Il PC rimanda un brusio.

La porta dell'aula si chiude da sola, come in *Scooby-Doo*. Corro ad afferrare la maniglia, ma è bloccata e per un istante osservo il mio riflesso sul vetro.

Qualcuno mi ha rinchiusa in un'aula computer, porca miseria.

Arretro e sugli schermi spenti dei PC vedo che la lavagna ha cambiato sfondo. Giro sui tacchi. Niente più prato verde. Al suo posto campeggia una pagina vuota di Word, con il cursore che lampeggia. Cerco di distruggere la tastiera del computer che controlla la lavagna e getto furiosa il mouse sul tavolo. Non accade nulla.

Sto cominciando a sudare. Il cervello non accetta questa situazione. Intravedo solo due soluzioni.

Uno: si tratta di un brutto scherzo di qualcuno che mi conosce.

Due: Solitaire.

Ed ecco che sulla pagina bianca spunta questo testo:

Attenzione Squadra Operativa,
per favore non fatevi prendere dal panico e dalla paura.

Una pausa. Di che si tratta?

SOLITAIRE è un'organizzazione amica di sorveglianza di zona, che si dedica all'aiuto della popolazione adolescente, avendo per bersaglio la causa più comune dell'ansia giovanile. Siamo dalla vostra parte. Non dovete temere i provvedimenti che adotteremo o meno.

Ci auguriamo che sosterrete le nostre future azioni e capirete che la scuola non deve per forza essere un luogo di gravità, stress e isolamento.

Qualcuno sta cercando di procurare una crisi isterica ai capo-classe. E poiché io non sono una capoclasse, preferisco mantenere i nervi saldi. Non so come mi sento, ma di certo non darò di matto.

Vi salutiamo con un video che speriamo illumini la vostra mattinata.
SOLITAIRE
La pazienza uccide.

La pagina di testo rimane sullo schermo ancora diversi secondi e poi parte Windows Media Player. Il cursore sfreccia sul tasto Play e il video inizia.

Il filmato è un po' sfocato ma si riconoscono due figure su un palco, una al piano, l'altra impugna un violino. Quest'ultima porta il violino al mento, solleva l'archetto e i due cominciano a suonare all'unisono. Solo dopo l'ottava battuta e uno zoom della telecamera, comprendo che i musicisti hanno non più di otto anni.

Non conosco questo brano, ma non importa. A volte mi capita di sentire un pezzo che mi inchioda. A volte, al mattino, quando la radio si accende, c'è in onda una canzone tanto bella che mi obbliga a stare ferma ad ascoltarla finché non è finita. Altre volte capita nei film, magari in scene non particolarmente tristi, ma con una colonna sonora talmente malinconica da farmi venire da piangere.

E questa è una di quelle volte. Alla fine del video sono ancora ferma lì.

Credo che Solitaire ci abbia fatto vedere quel video e abbia scritto quel discorso pomposo perché si crede intellettuale e profondo, come gli studenti che nei temi scrivono "in tal modo" e si considerano dei gran fighi. Metà di me vorrebbe ridere, l'altra invece vorrebbe spargli.

Resta il fatto che la porta della C13 è chiusa e io sono ancora in trappola. Avrei voglia di gridare ma non lo faccio. Il fatto è che non so cosa fare. Non so cosa fare.

Stupida come sono, ho buttato il numero di Zelda. Di quel gruppo non conosco nessun altro.

Non posso chiamare Becky, non verrebbe. Papa è al lavoro. Mamma sarà ancora in pigiama. Charlie non arriverà a scuola prima di tre quarti d'ora.

C'è una sola persona che mi aiuterebbe.

C'è una sola persona che mi crederebbe.

Estraggo il cellulare dalla tasca del blazer.

«Sì».

«Prima di dirti altro, ho una domanda».

«Tori?! Oddio, mi hai chiamato *davvero*!».

«Sei una persona reale?».

Ho riflettuto sul fatto che Michael Holden potrebbe essere un parto della mia immaginazione. Forse è perché non riesco a capire come qualcuno con una simile personalità possa sopravvivere in questo mondo di merda, e in più provare interesse per una stronza misantropa e pessimista come me.

Ieri avevo trovato il suo numero attaccato al mio armadietto, a ora di pranzo. Era scritto su un post-it rosa, di quelli con le frecce che aveva appiccicato Solitaire, a cui ora erano stati aggiunti il suo numero di cellulare e uno smile. *Sapevo* che era di Michael. Di chi altri poteva essere?

Tace a lungo prima di rispondere: «Prometto... *giuro*... che sono completamente reale. Qui. Sulla Terra. Vivo e respirante».

Attende una mia replica ma, dato che resto zitta, prosegue: «E comprendo il motivo per cui me lo chiedi, quindi non mi sento offeso o altro».

«Okay. Grazie per... ehm... averlo chiarito».

E continuo spiegandogli, con la maggiore noncuranza che riesco a tirar fuori, che sono rinchiusa in una classe di Informatica.

«Sei fortunata che io abbia deciso di uscire per dare una mano, oggi», dice. «Sapevo che sarebbe accaduto qualcosa del genere. Ecco perché dovevo darti il mio numero. Sei un pericolo per te stessa».

E poi eccolo lì, come se fosse sbucato dal nulla, con il telefonino attaccato all'orecchio, quasi non sapesse che sono a pochi metri da lui.

Batto forte la mano sul vetro della porta, più volte. Michael fa retromarcia, con uno sguardo corrucciato che non riconosco, per osservarmi. Poi sorride, chiude il cellulare e mi saluta.

«Tori! Ehi!».

«Fammi uscire», dico con la mano appiattita sul vetro.

«Sei sicura che sia chiusa?»

«No, mi sono *dimenticata* come si apre una porta!».

«Te la apro se prima fai una cosa per me».

Picchio sul vetro diverse altre volte, come se fosse un animale e tentassi di spaventarlo affinché si muova. «Non ho letteralmente il tempo di…».

«Una sola cosa».

Gli lancio un'occhiata sperando che sia così letale da paralizzarlo o perfino ucciderlo.

Alza le spalle, ma non so perché. «Sorridi».

Scuoto piano il capo. «Che ti salta in mente? Non capisci quello che mi è appena capitato?»

«Se mi dimostri che sei capace di sorridere, crederò che sei un essere umano e ti farò uscire». È serissimo.

Abbasso le mani. Per come sto, non potrei mai sorridere adesso. «Ti odio».

«Non è vero».

«Fammi soltanto uscire».

«Mi hai chiesto se ero una persona reale». Si aggiusta gli occhiali mentre la sua voce si è d'improvviso abbassata. È snervante. «Non ti è passato per la testa che io potrei credere che *tu* non sia una persona reale?».

Allora sorrido. Non so come sia visto dall'esterno, ma ho mosso i muscoli delle guance e arrotondato in su gli angoli delle labbra per dare alla bocca la forma di una luna crescente. Dalla reazione di Michael è evidente che proprio non se lo aspettava. E subito rimpiango di essermi arresa. Sgrana gli occhi e il suo sorriso svanisce di colpo.

«Merda», dice. «Ti viene proprio difficile».

Lascio perdere. «Va bene. Siamo tutti e due reali. Gira la maniglia».

E lui esegue.

Ci scambiamo uno sguardo e io tento di oltrepassarlo sgattaiolandogli accanto, ma lui sta fermo di fronte a me e appoggia le mani sugli stipiti laterali della porta.

«*Che cosa?!*». Sto per avere un crollo di nervi. Oh mio Dio.

«Perché eri chiusa in un'aula di Informatica?», domanda. Ha gli occhi enormi. Lui... lui *sa*? «Cosa è successo qui?».

Distolgo lo sguardo, non voglio guardarlo negli occhi. «Solitaire si è inserita nella lavagna e ha proiettato un messaggio diretto ai capoclasse. E un video».

Michael ansima come nei cartoni animati. Toglie le mani dagli stipiti per metterle sulle mie spalle. Indietreggio.

«Cosa diceva?». È sbalordito e terrorizzato. «Che video era?».

In un'occasione diversa, non gli avrei neppure risposto. Cioè, a chi importa, no?

«Guardali tu stesso», borbotto.

Torno indietro e fulmineo lui mi aggira, raggiungendo il computer della lavagna.

«È soltanto una scemenza», dico crollando su una sedia girevole accanto a lui. «E poi non potresti farci niente con quel PC comunque...».

Invece Michael muove il mouse, riportando il cursore sul documento di Word.

Legge a voce alta tutto il messaggio.

«La pazienza uccide», mormora. *«La pazienza uccide».*

Insiste per rivedere il video insieme a me e io acconsento solo perché mi era parso delizioso. Alla fine, mi dice: «E pensi che sia "soltanto una scemenza"?».

Tace.

«Suono il violino».

«Davvero?», gli rispondo.

«Be', già. Insomma, non più. Ho smesso di esercitarmi qualche anno fa». Mi lancia una strana occhiata. Ma è un momento e sembra d'improvviso colpito. «Sai, scommetto che Solitaire ha hackerato tutta la scuola. Un'impresa veramente notevole».

Prima che possa esprimere il mio disaccordo, apre Internet Explorer e digita "solitaire.co.uk".

E si apre il blog. In testa alla schermata c'è un post nuovo.

Sento che il respiro di Michael è accelerato.

00:30
11 gennaio

Solitari.

Il primo raduno di Solitaire avrà luogo sabato 22 gennaio, dalle ore 20 in poi, nella terza casa a partire dal ponte sul fiume.

Siete tutti benvenuti.

Quando alzo lo sguardo su di lui, Michael sta scattando con il cellulare una foto accurata del post. «Questo è oro», dice. «Questa è la migliore scoperta che abbia fatto oggi».

«Sono solo le sette e mezza».

«È importante fare un mucchio di scoperte ogni giorno». Si rialza. «È questo che rende le giornate tutte diverse tra loro».

Se quell'affermazione è vera, ecco spiegate tante cose della mia vita.

«Hai l'aria sconvolta», mi dice mentre prende posto sulla sedia accanto alla mia e si china verso di me, così che i nostri volti sono vicini. «Abbiamo fatto dei progressi: sii allegra!».

«Progressi? E su cosa?».

Si acciglia. «Nell'indagine su Solitaire. Qui abbiamo compiuto un grande salto in avanti».

«Oh».

«Ancora non sembri di buonumore».

«Pensi che potrei mai essere di buonumore per qualcosa?»

«Be', sì, in effetti sì».

Lancio un'occhiataccia alla sua faccia stupida e compiaciuta, e lui comincia a tamburellare con le dita.

«Vabbè», prosegue, «andremo al raduno».

A questo non avevo ancora pensato. «Scusa… andremo?»

«Be'… già. È sabato prossimo. Ti ci trascinerò a ogni costo».

«Perché vuoi andarci? Che senso ha?».

Sgrana gli occhi: «Non sei curiosa?».

È delirante. Delira più di me e questo dice tutto.

«Be', guarda», replico, «mi va benissimo, se ti va, di passare del tempo insieme, ma di Solitaire non mi importa e, francamente, non ho nessuna voglia di essere coinvolta. Per cui, be', scusa».

Mi osserva un po': «Interessante».

Non rispondo.

«Ti chiudono in quest'aula», riprende, «e ancora non te ne importa. Perché non la vedi sotto quest'aspetto: loro sono la perfida organizzazione criminale e tu sei Sherlock Holmes. Io sarò John Watson. Però saremo gli Sherlock e Watson interpretati da Benedict Cumberbatch e Martin Freeman: l'adattamento della serie della BBC è infinitamente migliore di tutti gli altri».

Lo guardo, immobile.

«È l'unico adattamento che riesce a rendere *esattamente* il senso profondo della loro "amicizia"».

«Sembri *una* fan sfegatata», mormoro, simulando sconcerto.

Nel silenzio che segue, valuto sbrigativa se le fantasie fanatiche su Sherlock siano corrette e se esista davvero della tensione sessuale tra lui e Watson.

Alla fine ci alziamo per andarcene. O almeno io lo faccio. Lui mi segue, chiudendosi la porta alle spalle. Per la prima volta noto che indossa solo camicia, cravatta e pantaloni, senza pullover o blazer.

«Non hai freddo?», chiedo.

Non batte ciglio dietro l'enorme montatura. I capelli sono talmente ordinati che sembrano di pietra. «Perché, tu sì?».

Ci inoltriamo nel corridoio e verso la fine mi rendo conto che Michael non mi sta più tallonando. Mi volto indietro: si è fermato davanti alla C16 e ha spalancato la porta.

Si rabbuia. Un'espressione strana appare sul suo volto.

«Che c'è?», gli domando.

Ci mette troppo a rispondere: «Niente. Pensavo che qui ci fosse qualcosa, invece non c'è nulla».

Prima che abbia il tempo di chiarire di cosa diamine stia parlando, qualcuno alle mie spalle grida: «Tori!».

Mi giro di soprassalto. Zelda avanza verso di me con un'espressione sul viso che un giorno sarà fonte di rughe premature. «Tori! Hai trovato qualcosa?».

Mi chiedo se sia il caso di mentire. «No, non abbiamo trovato niente, mi spiace».

«Che significa non "abbiamo"?».

Mi giro verso Michael, cioè verso lo spazio che prima occupava, perché lui ora non c'è più. Soltanto adesso mi domando che cosa ci facesse a scuola alle sette e mezza del mattino.

Dieci

Trascorro il resto del giorno a ripensare alle parole di Michael di fronte all'aula C16 e sul tardi torno lì per dare un'occhiata. Aveva ragione: non c'è nulla. Mi sa che rimanere chiusa in un'aula di Informatica mi ha alquanto scosso.

A Becky non racconto niente a proposito di Solitaire. È così occupata a diffondere la notizia della festa in costume per il suo compleanno che ci sarà venerdì prossimo, che non le importerebbe molto.

A pranzo, Lucas mi trova nella sala comune. Sto cercando di leggere un nuovo capitolo di *Orgoglio e pregiudizio*, ma penso che finirò con il vedere la versione cinematografica perché il romanzo mi fonde il cervello. La stanza è piuttosto vuota: probabilmente sono andati tutti a mangiare da Asda, perché la mensa scolastica è come quella del carcere.

«Come butta?», dice Lucas sedendosi al mio tavolo. "Come butta" è un'espressione che detesto: cosa significa, è un saluto o una domanda? E la risposta è "Bene, grazie" oppure "Ciao"?

«Non malaccio», replico raddrizzandomi un po'. «Tu?»

«Va benone, grazie».

Recepisco fisicamente che sta cercando qualcosa da dire. Dopo un lungo, stupido silenzio, si avvicina e tamburella sul libro che ho in mano. «Tu odi leggere, vero? Perché non te la cavi guardando il film?».

Lo guardo perplessa. «Be', non lo so».

Dopo un'altra stupida pausa, mi domanda: «Ci sarai da Becky, venerdì?».

Che domanda scema. «Be', sì. Immagino che ci sarai anche tu».

«Sì, sì… Da chi ti vestirai?»

«Ancora non lo so».

Annuisce come se avessi sottinteso qualcosa.

«Be', sono sicuro che sarai bellissima». E poi aggiunge tutto d'un fiato: «Perché, sai, da bambini, eri bravissima nei travestimenti».

Non ricordo di aver usato altro costume oltre quello da Jedi. Faccio spallucce: «Qualcosa troverò».

E allora lui arrossisce come al solito e se ne resta seduto per un po' a osservarmi mentre leggo. È così goffo. Mamma mia. Alla fine, tira fuori il cellulare e manda un messaggio. Quando poi si allontana per parlare con Evelyn, mi chiedo perché continui ad aleggiare intorno a noi come un fantasma che non vuole essere dimenticato. Non ho voglia di parlare sul serio con lui. Cioè, pensavo che fosse carino provare a ricucire questa amicizia, ma è troppo faticoso. Non ho voglia di parlare con nessuno.

Ovviamente, appena rientro a casa racconto tutto a Charlie. Non sa che dire sul misterioso messaggio di Solitaire. Però insiste nel sostenere che dovrei smetterla di parlare tanto con Michael. Ancora non ho capito bene quale sia la mia opinione in proposito.

A cena, mio padre chiede: «Com'è andata oggi?»

«Non abbiamo trovato niente», rispondo. Un'altra bugia. Devo essere una borderline.

Papà parla poi di un altro libro che vuole prestarmi. Me ne presta sempre qualcuno. Mio padre si è iscritto all'università a trentadue anni e si è laureato in Letteratura Inglese. Adesso lavora come informatico. Tuttavia, spera sempre che mi trasformi in un pensatore filosofico che ha letto tanto Čechov e James Joyce. Annunciare a mio padre che detesto i libri avrebbe lo stesso risultato di un coming out in una famiglia omofoba. Non ne sono mai stata capace, e dirlo adesso, dopo tutti i volumi che mi ha prestato, sarebbe decisamente troppo tardi.

Comunque, stavolta si tratta di *La metamorfosi* di Franz Kafka. Annuisco, sorrido, cerco di apparire interessata, eppure non credo di essere convincente.

Charlie cambia rapidamente argomento raccontandoci di un film che ha visto con Nick nel fine settimana, *An Education*, che, a sentir lui, pare una totale e paternalistica presa in giro delle adolescenti dell'intero pianeta. Oliver poi ci intrattiene con il suo nuovo trattore giocattolo e con i motivi per cui è tanto più figo di tutti i suoi altri trattori giocattolo. Per la gioia di mamma e papà, concludiamo la cena in un'ora, un vero record.

«Ben fatto, Charlie! Bel lavoro!», si congratula mio padre dandogli una pacca sulle spalle, ma mio fratello si ritrae. Mia madre annuisce e sorride, al massimo della sua espressività. È come se Charlie avesse vinto il Nobel. Lui fugge dalla cucina senza una parola e si aggrega a me per vedere *Big Bang Theory*. Non è una serie molto divertente, ma ne guardo ancora almeno un episodio al giorno.

«Chi sarei se fossi un personaggio di *Big Bang Theory*?», domando a un certo punto.

«Sheldon», risponde senza esitare Charlie. «Però all'incirca, perché le vedute non combaciano».

Volto il capo verso di lui. «Ehi, mi offendi».

Charlie sbuffa. «È lui che rende la serie decente, Victoria».

Ci rifletto e alla fine annuisco: «Probabilmente è vero».

Charlie è disteso, immobile, sul divano e per un minuto lo osservo. Ha gli occhi velati, come se non stesse guardando la televisione, e giocherella con le maniche della camicia: in questo periodo indossa solo camicie a maniche lunghe.

«E io chi sarei?», mi chiede.

Mi strofino il mento, pensierosa, prima di annunciare: «Howard. Assolutamente. Perché non fai altro che rimorchiare le signore…».

Lui lancia un cuscino contro di me, che sono sull'altro divano. Grido e mi ritiro nell'angolo prima di scagliargli addosso una raffica di cuscini.

Stasera guardo la versione di *Orgoglio e pregiudizio* con Keira Knightley e la trovo terrificante quanto il romanzo. L'unico personaggio tollerabile è Darcy. Non capisco perché, all'inizio, Elizabeth lo consideri orgoglioso, a me sembra piuttosto ovvio che è solo un timido. Qualunque essere umano sarebbe capace di individuare la sua timidezza e compatirebbe questo povero tizio che è terrificato dalle feste e dalle riunioni mondane. Non è colpa sua: lui è fatto così.

Posto qualche altra cosa e resto distesa ad ascoltare la pioggia, dimentica del passare del tempo e del fatto che dovrei mettermi in pigiama. Alla pila dei libri non letti aggiungo *La metamorfosi*. Metto il DVD di *Breakfast Club* però in realtà non lo seguo, e così salto direttamente alla parte migliore, quella in cui sono tutti seduti in circolo e rivelano le cose personali più intime che li fanno piangere eccetera. Rivedo la scena ben tre volte prima di spegnere. Mi metto in ascolto del demone/gigante, ma stanotte assomiglia più a un rullio, un basso rombo come di batteria. Le figure gialle della carta da parati della mia stanza sembrano vorticare, strisciando avanti e indietro, fino a ipnotizzarmi. Qualcuno ha posto sopra di me, sul mio letto, un'enorme gabbia di vetro e l'aria lentamente si surriscalda. In sogno, corro in cerchio sulla cima di un precipizio, ma c'è sempre un ragazzo dal cappello rosso che mi afferra ogni volta che tento di gettarmi giù con un salto.

Undici

«Non sto scherzando, Tori. Si tratta di una decisione estremamente seria».

Guardo Becky negli occhi con la massima franchezza. «Oh, lo so: è una cosa dalla quale dipende l'esistenza futura dell'umanità».

Siamo nella sua camera e sono le 16:12 di venerdì. Sono seduta a gambe incrociate sul suo lettone. Qui è tutto rosa e nero: se la stanza fosse una persona, sarebbe una Kim Kardashian con un budget limitato. Sulla parete c'è un poster di Edward Cullen e Bella Swan: ogni volta che lo guardo ho voglia di ficcarlo in un tritacarte.

«No no, seriamente, non scherzo mica». Di nuovo solleva i due costumi, uno per mano. «Campanellino o Hermione?».

Li osservo, ma non sono molto diversi, a parte i colori: uno è verde e l'altro grigio.

«Campanellino», concludo. Dato che Becky conserva il suo stile e la sua ilarità comportandosi come una scema, permetterle di essere la strega più brillante della sua età sarebbe un insulto nei confronti di Hermione Granger, J.K. Rowling e dei potteriani tutti.

Becky annuisce e scarica il costume di Hermione sopra la montagna di vestiti che sta via via aumentando. «Era quello che pensavo». Inizia a cambiarsi. «Tu da chi ti mascheri?».

Sollevo le spalle, sto ancora riflettendo su Harry Potter. «Non mi maschererò. Penso che potrei indossare il mio mantello invisibile».

Becky, adesso in slip e reggiseno, mette le mani sui fianchi. So che non dovrei sentirmi in imbarazzo dato che sono più di cinque anni che siamo amiche del cuore, eppure ancora mi capita. Quand'è che la nudità diventerà una cosa normale?

«Tori, devi mascherarti. È una festa in costume, la mia, e lo dico io».

«Va bene». Ci rifletto, valutando le possibilità. «Potrei venire come... Biancaneve?».

Becky tace come se attendesse una battuta di chiusura.

Mi rabbuio. «Che c'è?»

«Niente. Non ho aperto bocca».

«Tu non pensi che possa vestirmi da Biancaneve».

«No no, puoi vestirti da Biancaneve... se è quello che vuoi».

Mi guardo le mani. «Okay. Allora... be'... ci penso su». Giro i pollici. «Potrei farmi... i capelli... ondulati...».

Adesso ha l'aria appagata, mentre indossa il vestitino verde con le ali da fatina.

«Stasera tenterai di parlare con gli altri?», chiede.

«È davvero una domanda, o è un ordine?»

«Un ordine».

«Non te lo prometto».

Becky ridendo mi dà qualche buffetto leggero sulla guancia, una cosa che detesto. «Non ti preoccupare, veglierò su di te. D'altra parte lo faccio sempre, no?».

A casa, indosso una camicetta bianca e una gonna nera da pattinaggio che avevo comprato una volta per un colloquio di lavoro a cui poi non mi sono presentata. Ho infilato il maglione nero che preferisco e infine delle calze nere. I capelli sono abbastanza lunghi da farne due trecce e mi sono messa più eyeliner del solito.

Mercoledì Addams. Biancaneve era uno scherzo, anche perché disprezzo Disney.

Verso le sette esco di casa. Nick, Charlie e Oliver si sono appena seduti per cenare. I miei andranno a teatro e poi si fermeranno a dormire in un albergo. In tutta franchezza, Charlie e io abbiamo insistito affinché dormissero fuori e non dovessero guidare altre due ore per tornare a casa. Pensavo che fossero un po' preoccupati di allontanarsi da Charlie e avevo quasi deciso di non andare alla festa per rimanere qui, ma lui ci ha assicurato che sarebbe stato bene, cosa di cui non avevo dubbi, perché Nick si sarebbe fermato. E comunque non sarei stata fuori troppo.

È una festa dark. Le luci sono basse e gli adolescenti traboccano dalla casa. Oltrepasso i tabagisti e i fumatori sociali che sono riuniti in capannelli all'esterno. Fumare è così inutile. L'unica ragione che trovo per fumare è se vuoi morire. Non lo so, forse loro vogliono morire. Riconosco molti che frequentano gli ultimi tre anni alla Higgs o al Truham, e so per certo che Becky non può conoscerli tutti di persona.

Una selezione del Nostro Gruppo si è rintanata in veranda insieme a pochi a me sconosciuti. Evelyn, rannicchiata in un angolo del divano, è quella che mi adocchia per prima.

«Tori!», mi chiama salutando con la mano e io la raggiungo. Osservandomi pensierosa, chiede: «Chi sei?»

«Mercoledì Addams», rispondo.

«Chi?».

«Hai visto *La famiglia Addams*?»

«No».

Rallento. «Oh». La sua maschera è davvero uno spettacolo: chioma allisciata in un alto chignon elegante, occhiali da sole da gatta e un vestito anni Cinquanta: «Tu sei Audrey Hepburn».

Lei getta le braccia in alto: «GRAZIE! A questa festa c'è *qualcuno* che ha una cazzo di *cultura*!».

Anche Lucas è qui, seduto accanto a una ragazza e a un ragazzo che sono come fusi in un unico essere. Lui indossa un basco e una maglietta attillata con le maniche arrotolate sopra a jeans neri stretti e corti, e intorno al collo ha una vera fila di bulbi d'aglio. Direi che ha un'aria fica e allo stesso tempo ridicola. Mi saluta timidamente con la lattina: «Tori! *Bonjour!*».

Ricambio il saluto e in pratica scappo.

Sulle prime mi dirigo in cucina, dove trovo un mucchio di quelli dell'11° anno, soprattutto ragazze vestite come un assortimento di promiscue principesse Disney, insieme a tre ragazzi mascherati da Superman. Commentano animati lo scherzo di Solitaire, che pare considerino esilarante. Una delle ragazze afferma addirittura di avervi partecipato.

Sembra proprio che tutti parlino del post di Solitaire sul raduno, quello che avevo trovato con Michael dopo che lui mi aveva fatto evadere dall'aula di Informatica. Ed è evidente che l'intera città ha in programma di andarci.

A un certo punto sono in piedi vicino a una ragazza dall'aria solitaria, forse dell'11° ma non ne sono tanto sicura, che si è mascherata in modo molto accurato da Doctor Who, nella versione di David Tennant. Sento un legame immediato con lei per quell'aria sperduta che ha.

Lei mi guarda e, siccome ormai non posso far finta di non averla vista, le dico: «Il tuo costume è… be', davvero bello».

«Grazie», risponde. Annuisco e mi allontano.

Ignorando le birre, la vodka WDK e i Bacardi Breezer, perlustro il frigo di Becky in cerca di una limonata diet. Con un bicchiere di plastica in mano, mi avvio lentamente all'esterno.

Il giardino è veramente magnifico: digrada lieve verso lo stagno circondato da salici spogli. I gruppetti si accalcano sulla pista di legno e il prato, nonostante facciano circa zero gradi. Non so perché, ma le mani di Becky sono posate sopra un autentico riflettore che fa luce come se fosse giorno e crea sull'erba ombre fluttuanti. Ho individuato Becky/Campanellino in un diverso gruppo del nostro anno e la raggiungo.

«Ehi», la chiamo insinuandomi nel circolo.

«Toriiiiii!». In mano tiene una bottiglia di Baileys Irish Cream dove è infilata una cannuccia di plastica arricciata. «Bella, indovina!!! Ho una cosa incredibile da dirti! È così incredibile! Morirai, è così-così-così incredibile! Tu morirai!».

Le sorrido anche se mi scuote per le spalle versandomi addosso un po' di liquore.

«Tu-mori-rai».

«Sì sì, io morirò…».

«Conosci Ben Hope?».

Certo che lo conosco e so anche con esattezza che cosa sta per dire.

«*Ben Hope mi ha chiesto di uscire con lui*», farfuglia.

«Oh», dico. «Ommioddio».

«Lo so! Io, insomma, non mi aspettavo *niente*! Stavamo chiacchierando e ha ammesso che gli piaccio, ommioddio, era tanto fico e *imbarazzato*!». E poi mi racconta di lui per un bel pezzo, sorseggiando il Baileys, mentre io sorrido, annuisco e sono davvero tanto felice per lei. A un certo punto, ricomincia a raccontare tutta la storia a una tipa vestita da Minnie e, visto che mi sto un po' annoiando, do un'occhiata al mio blog sul cellulare. Vedo il simboletto (1) che indica la presenza di un messaggio:

Anonimo: Pensiero del giorno: Perché le macchine accostano sempre per le ambulanze?

Leggo e rileggo il messaggio. Potrebbe averlo scritto chiunque, credo, anche se nella vita reale non conosco nessuno che sappia del mio blog. Scemo di un anonimo. Perché le macchine accostano sempre per le ambulanze? Perché il mondo non è fatto solo di stronzi. Ecco perché.

Perché il mondo non è fatto solo di stronzi.

Non appena la conclusione mi è chiara, mi imbatto in Lucas. Ed è un po' fatto.

«Non riesco a capire chi sei», dice, imbarazzato.

«Sono Mercoledì Addams».

«Ah, che ficata, che ficata». Annuisce con aria d'intesa, ma si vede che non ha idea di chi sia Mercoledì Addams.

Guardo dietro di lui il giardino illuminato a giorno. La gente è solo penombra sfumata. Non mi sento bene e la limonata mi ha lasciato un sapore acido in bocca. Vorrei raggiungere il lavello per buttarla, però mi rendo conto che, senza qualcuno a cui aggrapparmi, mi sentirei ancora più persa.

«Tori?».

Lo guardo. L'aglio non è stata una buona idea. Non ha un grande odore. «Mmm?»

«Ti ho chiesto se stai bene. Hai l'aria di una con la crisi di mezz'età».

«Non è una crisi di mezz'età. È una crisi di tutte le età».

«Cos'hai detto? Non riesco a sentirti».

«Sto bene. Sono solo annoiata».

Sorride come se stessi scherzando, invece non lo sto facendo: le feste sono sempre noiose.

«Perché non vai a parlare con qualcun altro?», lo esorto. «Davvero, non ho niente di interessante da dire».

«Tu hai sempre delle cose interessanti da dire», risponde, «solo che non ne parli».

Mento dicendo che ho bisogno di qualcosa da bere, nonostante il bicchiere sia pieno oltre la metà e mi senta male sul serio. Rientro dal giardino. Mi manca il fiato e sono arrabbiata senza motivo. Fendo la folla di adolescenti stupidi e ubriachi, per chiudermi nel bagno al piano di sotto. Qualcun altro qui è stato male, lo percepisco dall'odore. Mi guardo allo specchio. L'eyeliner è sbavato e allora lo risistemo. Ma poi mi salgono le lacrime e si rovina di nuovo, però tento di non mettermi a piangere. Mi lavo le mani tre volte e sciolgo le trecce che ormai hanno un aspetto cretino.

Qualcuno batte alla porta del bagno. Sono rimasta qui a guardarmi allo specchio per secoli, a osservare gli occhi che si inumidiscono e si asciugano, si inumidiscono e si asciugano. Apro la porta pronta a dargli un pugno in faccia e davanti a me c'è Michael maledetto Holden.

«Oh, grazie-a-Dio». Si fionda dentro e, senza preoccuparsi di farmi uscire o di chiudere la porta, alza la tavoletta del bagno per fare pipì. «Grazie. Cristo. Credevo che avrei dovuto pisciare nell'aiuola, cazzo».

«Bene, invece fare pipì in presenza di una signora…», ribatto.

Agita noncurante la mano e io me ne vado. Mi raggiunge mentre attraverso il portoncino. È vestito da Sherlock Holmes, completo di cappello.

«Dove stai andando?», chiede.

Alzo le spalle. «Dentro fa troppo caldo».

«Fuori fa troppo freddo».

«Da quando hai ottenuto una temperatura corporea?»

«Ce la farai mai a parlarmi senza rispondermi con un commento sarcastico?».

Mi volto per allontanarmi ma lui non molla.

«Perché mi stai seguendo?»

«Perché qui non conosco nessun altro».

«Non hai amici del tuo anno?»

«Io… be'…».

Mi fermo sulla strada oltre il vialetto di Becky. «Credo che me ne tornerò a casa», gli dico.

«Perché? Becky è tua amica ed è il suo compleanno».

«Non le seccherà». Non se ne accorgerà.

«A casa che farai?», chiede.

Bloggerò. Dormirò. Bloggerò. «Niente».

«Perché non ci schiantiamo in una stanza al piano di sopra e ci vediamo un film?».

Se lo dicesse un'altra persona penserei che mi sta proponendo di appartarmi per fare sesso, però è Michael a chiederlo e so che è tremendamente serio.

Mi accorgo che il bicchiere di limonata è finito, eppure non mi ricordo di averla bevuta. Desidero tornare a casa, ma non lo faccio perché so che tanto non dormirei. Il cappello di Michael ha un'aria veramente stupida. Magari ha rubato la giacca di tweed a una salma.

«Va bene», dico.

Dodici

Esiste una linea che si attraversa nel momento in cui si creano delle relazioni con gli altri. L'attraversamento avviene quando dal conoscere una persona si passa alla *conoscenza* di quella persona, cosa che accade tra me e Michael alla festa per il diciassettesimo compleanno di Becky.

Saliamo nella stanza della mia amica. Naturalmente lui comincia a perlustrarla, mentre io mi butto rotolando sul letto. Michael ignora il poster di Edward Cullen e Bella-senza-espressione Swan con una scettica alzata di sopracciglia. Percorre lo scaffale delle medaglie e delle foto di spettacoli di danza, poi quello dei libri dell'infanzia che da anni giacciono inviolati, e si ferma presso le pile formate da vestiti spiegazzati, shorts, magliette, slip, reggiseni, libri di scuola, borse e mille foglietti, finché, alla fine, apre un armadio, oltrepassa gli scaffali di vestiti ben riposti e individua una piccola fila di DVD.

Ne tira fuori *Moulin Rouge* ma, alla vista dell'espressione che ho dipinta in faccia, lo mette subito via. Una cosa simile accade quando s'impossessa di *Boygirl – Questione di... sesso*. Un attimo dopo sbuffa e afferra un altro DVD, con un balzo attraversa la stanza fino allo schermo piatto e lo accende.

«Guarderemo *La Bella e la Bestia*», annuncia.

«No, proprio no», ribatto.

«E invece sì», replica.

«Per favore, no. Magari *Matrix*? *Lost in Translation*? Il Si-

gnore degli Anelli?». Non so perché sto parlando così, Becky non ha nessuno di questi film.

«Lo sto facendo per il tuo bene». Inserisce il DVD. «Ritengo che il tuo sviluppo psicologico abbia risentito sostanzialmente della mancanza del fascino Disney».

Non mi curo di chiedergli di che cosa stia parlando. Si arrampica sul letto accanto a me e si siede con la schiena appoggiata alla testiera. Sullo schermo appare il logo della Disney. Ho la sensazione che mi stiano per sanguinare gli occhi.

«Ha mai visto un film Disney?», domanda.

«Ehm… be' sì».

«Detesti Disney?»

«Non detesto Disney».

«Allora perché non vuoi vedere *La Bella e la Bestia?*».

Volto il capo e lui non sta guardando il film, anche se è iniziato.

«Non mi piacciono i film falsi», affermo. «Dove i personaggi e le storie sono… perfetti. Nella vita reale le cose non vanno così».

Sorride, ma con espressione triste. «Non è per questo che sono film?».

Mi chiedo perché sto qui. Mi domando perché lui sia qui. Non riesco a sentire nient'altro che il patetico martellamento dubstep che proviene dal piano sottostante. Sullo schermo c'è un cartone animato, ma sembrano soltanto delle forme che si muovono. Lui comincia a parlarmi.

«Lo sapevi», esordisce, «che, nella storia originale, Bella ha due sorelle? Invece in questo film è figlia unica. Chissà perché. Non è mica tanto divertente essere figlio unico».

«Tu sei figlio unico?»

«Già».

Inizia a farsi interessante. «Io ho due fratelli», racconto.

«Ti assomigliano?»

«No, assolutamente no».

Un tizio muscolosissimo fa la corte a Bella. Non è bello, ma capisco il suo disgusto per la letteratura. «A lei leggere piace tanto», dico scuotendo il capo verso la ragazza vestita d'azzurro. «Scoprirà che non è salutare».

«Ma tu non porti Inglese per la maturità?»

«Sì, perché qualche stronzata lì me la invento, ma non lo approvo. Odio i libri».

«Io avrei dovuto scegliere Inglese, sarei stato bravo».

«E perché non l'hai fatto?».

Mi guarda e sorride: «Credo che leggerli, i libri, sia meglio che studiarli».

Bella ha sacrificato la propria libertà per salvare il padre. Molto romantico. E adesso per lei è motivo di pianto.

«Dimmi qualcosa di interessante su di te», chiede Michael.

Ci penso su un momento. «Lo sai che sono nata il giorno in cui Kurt Cobain pare si sia suicidato?»

«In effetti sì. Aveva solo ventisette anni, poveraccio. Ventisette. Magari a ventisette anni moriremo anche noi».

«Non c'è nulla di romantico nella morte. Detesto che la gente utilizzi il suicidio di Kurt Cobain come una scusa per adorarlo come un'anima tormentatissima».

Michael tace un momento e mi guarda prima di aggiungere: «Già, lo immagino».

Bella ha iniziato uno sciopero della fame. Almeno finché il vasellame e le posate della casa non organizzano uno spettacolino di canto e ballo tutto per lei. Adesso è inseguita dai lupi. Faccio molta fatica a stare dietro alla trama.

«Dimmi qualcosa di interessante su di te», chiedo a Michael.

«Ehm», risponde, «sono, tipo, ridicolmente poco intelligente?».

Mi acciglio: ovviamente non è vero.

Lui mi legge nel pensiero: «Sul serio. Dall'8° anno non sono riuscito a prendere un voto migliore di C in qualsiasi materia».

«Che cosa?! E perché?»

«Be' io…».

Sembra quasi impossibile che uno come Michael sia poco intelligente. Quelli come lui… sono sempre sveglissimi. Sempre.

«Quando arrivo al momento dell'esame… in generale non riesco a scrivere quello che loro vorrebbero. Non sono molto bravo a, be', a organizzare tutta la roba che ho in testa. Tipo, se mi presento all'esame di Biologia, magari ho capito perfettamente cos'è una sintesi proteica, però non ce la faccio a riportarlo per iscritto. Non sono dislessico o altro. Soltanto non so cosa vogliano sentirsi dire gli esaminatori. Non so se mi sto dimenticando qualcosa, o forse non so come secondo loro dovrei spiegarlo. Cioè, *non lo so*. E, cazzo, è *orribile*».

Mentre racconta, gesticola con le mani come un turbine. Immagino che nella sua testa tutte le informazioni possedute prendano forma di fili che volteggiano incapaci di raggrupparsi tra loro a comporre parole comprensibili. Sembra avere senso. È matto. Magari non in modo cattivo. Ma assolutamente matto.

«È così ingiusto», prosegue. «La scuola letteralmente se ne frega di te, a meno che tu non sia bravo a descrivere bene le cose o a mandarle a memoria oppure a risolvere quelle maledette equazioni di Matematica. E delle altre cose importanti della vita che ne è? Tipo essere un buon essere umano?».

«Odio la scuola», affermo.

«Tu odi tutto».

«È buffo perché è vero».

Di nuovo si gira verso di me. Ci guardiamo. Sullo schermo, da una rosa cade un petalo e sono sicurissima che simboleggi qualcosa.

«Hai gli occhi di colori diversi», gli dico.

«Non ti ho detto che sono la protagonista di un anime magico?»

«Dài, sul serio, perché?»

«Il mio occhio azzurro nasconde il potere della mia vita passata e lo uso per chiamare il mio angelo custode se deve assistermi nella lotta contro le forze delle tenebre».

«Sei ubriaco?»

«Sono un poeta».

«Be', allora controllati, caro Tennyson».

Ridacchia. «"Il ruscello cesserà di scorrere"». È la citazione da una poesia, certo, ma non l'ho mai sentita prima. «"Il vento cesserà di soffiare, le nubi cesseranno di veleggiare, il cuore cesserà di battere: perché tutte le cose devono morire"».

Gli tiro un cuscino. Si china per evitarlo ma ho una mira straordinaria.

«Okay, okay», dice ridendo. «Non è romantico come sembra. Qualcuno mi ha tirato un sasso quando avevo due anni e così, alla fine, è come se fossi mezzo cieco. In effetti, è una bella seccatura».

Sullo schermo stanno ballando. È abbastanza stravagante. Una signora anziana canta e mi ritrovo anch'io a canticchiare: evidentemente è una canzone che ho già sentito. Michael si unisce a me e ne cantiamo a turno una strofa.

E poi restiamo a lungo in silenzio, mentre guardiamo i colori sullo schermo. Non so da quanto dura questo silenzio, ma a un certo punto sento che Michael tira su col naso e vedo che si porta le mani al viso. Quando mi volto capisco che sta piangendo, sta davvero piangendo, e per un momento resto confusa. Scruto lo schermo: la Bestia è appena morta. Bella l'abbraccia e piange, e, oh!, aspetta!, una lacrima cade sulla sua pelliccia e allora accade ogni sorta di fantastica magia, ed eccolo là, lui risorge in modo miracoloso dalla morte. Ehi, è pure diventato bellissimo. Questo è il genere di merda che detesto. Irreale, sentimentale, insomma merda.

Invece Michael piange e non so davvero cosa fare. Si sta coprendo il volto con una mano e ha un'espressione accigliata. Come se tentasse di trattenere le lacrime all'interno.

Decido di dargli dei colpetti sulla mano, che è rimasta poggiata sul letto. Mi auguro che capisca che vuol essere un conforto, non un commento sarcastico. Credo di esserci riuscita perché risponde afferrando la mia mano e stringendola con una forza incredibile.

Pochi istanti dopo il film finisce. Lui spegne con il telecomando e restiamo seduti in silenzio a guardare lo schermo oscurato.

«Conoscevo tuo fratello», dice Michael dopo un'eternità.

«Charlie?»

«Al Truham…».

Giro il capo senza però trovare nulla da dire.

Lui prosegue: «Non ci siamo mai parlati. Lui pareva sempre un tipo calmo, ma amato da tutti, un fatto molto raro in un istituto maschile. Charlie era diverso».

In quel momento mi risolvo a dirglielo, e non so perché. Ma ho questa urgenza. Il cervello si arrende e non lo posso trattenere.

Gli dico di Charlie.

Ogni cosa.

Di quando ha cominciato a raccogliere le cose, e di quando ha smesso di mangiare, e di quando ha iniziato a farsi del male.

A essere franca, ormai non è più una faccenda così grave. È stato ricoverato in ospedale e adesso sta meglio. E ha Nick. Cioè, è ancora in cura però sta bene. Va bene.

Non so quando mi sono addormentata, però è successo. Non completamente addormentata. Non riesco più a dire se sono sveglia o sto sognando. Probabilmente è strano addormentarsi in questo genere di situazione, ma sto cominciando a non preoccuparmi sul serio di cose come queste. Quello che più mi sorprende è la rapidità con cui accade. Di norma ci vuole un'eternità. Di norma, quando cerco di addormentarmi, faccio tutta una serie di cose stupide come rotolare e immaginare che sto dormendo vicino a qualcuno a cui posso accarezzare i capelli solo allungando la mano. Oppure le mie due mani si stringono così che, dopo un po', inizio a pensare di stringere la mano di qualcun altro, ma non la mia. Giuro-su-Dio che in me c'è qualcosa che non va. Lo faccio davvero.

Ma questa volta sento che rotolo lieve su di lui e mi appoggio sul suo petto, sotto al braccio. Ha un vago odore di falò. Credo che, a un certo punto, qualcuno abbia aperto la porta e ci abbia visto semiaddormentati insieme sul letto. Chiunque sia ci dà solo una rapida occhiata e poi richiude la porta. Il chiasso del piano sottostante lentamente scema anche se la musica continua a pompare. Tento di origliare l'eventuale presenza di creature demoniache fuori dalla finestra, ma la notte è silenziosa. Nulla mi intrappola. È bello. Sembra che nella stanza non ci sia nessuno.

Mi squilla il cellulare.

01:39
Chiamata Casa

«Pronto».

«Tori, ancora non torni a casa?».

«Oliver! Perché non sei a letto?»

«Sto guardando *Doctor Who*».

«Non stai per caso vedendo l'episodio dell'Angelo Piangente, vero?».

«…».

«Ollie? Stai bene? Perché mi chiami?».

«…».

«Oliver, ci sei?»

«Charlie ha qualcosa che non va».

Devo avere un'espressione in volto molto inusuale perché Michael mi guarda in modo singolare, una buffa occhiata terrorizzata.

«Che... è successo?».

«...».

«Che è successo, Oliver? Cosa ha fatto Charlie? Dov'è?»

«Non posso entrare in cucina. Charlie ha chiuso la porta e non riesco ad aprirla. Però lo sento».

«...».

«Quando torni a casa, Tori?»

«Torno subito».

E riattacco.

Michael è sveglio. Sto a gambe incrociate in mezzo al letto. Anche lui è a gambe incrociate, di fronte a me.

«Merda», esclamo, «merda merda merda merda merda merda che cazzo!».

Michael non mi chiede niente. Dice soltanto: «Ti accompagno a casa».

Cominciamo a correre. La porta, le scale e poi la folla. Alcuni stanno ancora festeggiando, altri sono ammucchiati sul pavimento, altri ancora pomiciano, qualcuno grida. Ho quasi raggiunto il portoncino quando Becky mi afferra. È strafatta.

«Sono *strafatta*», dice stringendomi forte il braccio.

«Sto andando via, Becky».

«Sei così *fica*, Tori. Mi manchi. Ti voglio tanto bene. Sei *bellissima* e tanto fica».

«Becky...».

Si accascia sulla mia spalla, le gambe le cedono. «Non essere triste. Promettimelo, Tori. Promettimelo, Tori. Promettimi che non sarai più triste».

«Prometto ma devo...».

«O-odio Jack. È un... un tale... un tale stronzo. Mi merito un... qualcuno come Ben. Lui è così *bello*. Come te. Tu odi tutto, eppure sei sempre bellissima. Sei come... un fantasma. Ti voglio tanto bene... tanto. Non essere... non... essere mai più triste».

Non vorrei lasciarla perché è più che strafatta, ma devo assolutamente tornare a casa. Michael mi sta spingendo verso l'uscita e così abbandoniamo Becky, che ormai sembra avere le gambe di un ragno, un trucco troppo pesante, i capelli troppo cotonati.

Michael ha ripreso a correre, e anch'io. Salta sulla bici, una vera bicicletta. C'è ancora qualcuno che le usa?

«Sali dietro», dice.

«Scherzi?», rispondo.

«O così o a piedi».

Salto dietro.

E in questo modo Sherlock Holmes e Mercoledì Addams attraversano in volo la notte. Michael pedala così veloce che le case al nostro passaggio divengono linee ondulate che sfumano tra il grigio e il marrone e io mi afferro alla sua vita tanto forte che le dita presto perdono sensibilità. Mi rendo conto che sono felice anche se non dovrei, e che quest'emozione conflittuale rende il momento ancora più folle, più splendente, più incommensurabile. L'aria mi colpisce dritto in volto e rende lacrimosi gli occhi, perdo la cognizione di dove siamo, nonostante conosca questa città come le mie tasche, e l'unico pensiero che mi viene in mente è che forse è questo che sentiva il bambino che ha volato con ET. Potrei morire adesso e non me ne importerebbe.

In quindici minuti siamo a casa mia. Michael non entra. Devo riconoscere che sa come comportarsi. Si alza sulla bici quando mi volto a guardarlo.

«Spero che lui stia bene», mi dice.

Annuisco.

Anche lui annuisce prima di riprendere la pedalata. Apro il portoncino ed entro in casa.

Tredici

Oliver trotterella assonnato giù per le scale. Ha il pigiamino del Trenino Thomas. Tra le braccia tiene Teddy. Sono contenta che non abbia mai capito cosa non va in Charlie.

«Stai bene, Oliver?»

«Mmm.... sì».

«Vai a letto?».

«E Charlie cos'ha?»

«Starà bene. Lascia fare a me».

Oliver annuisce e risale pian pianino, strofinandosi gli occhi. Mi precipito verso la porta della cucina, che trovo chiusa. Mi sento male e non riesco a restare lucida.

«Charlie». Busso alla porta.

Silenzio totale. Provo a forzare, ma l'anta è bloccata da qualcosa.

«Apri la porta, Charlie. Non sto scherzando. Rompo la porta».

«No, non lo farai». Ha una voce funerea, vacua. Eppure mi sento sollevata, significa che è vivo.

Giro la maniglia e spingo con tutto il corpo.

«Non entrare!». Il tono è impanicato, un panico che trasmette anche a me, perché Charlie non vi si abbandona mai ed è proprio questa caratteristica a renderlo unico. «Non entrare! Per favore!». Si sente lo sferragliare di cose sbattute febbrilmente in giro.

Continuo a spingere il corpo contro l'anta, che comincia a cedere. La socchiudo abbastanza per intrufolarmi e alla fine ci riesco.

«No, vattene! Lasciami in pace!».

Lo guardo.

«Vattene!».

Sta piangendo: ha gli occhi rosso scuro e violetto e la penombra della stanza lo avvolge in una foschia. Sul tavolo c'è un piatto di lasagne, freddo e intatto. Tutto il cibo contenuto nelle scansie, nel frigo e nel freezer è stato spostato e rimesso in ordine per colore e grandezza in diverse pile accostate alle pareti. Tra le mani tiene un paio di fazzoletti intrisi di sangue.

Non sta meglio.

«Scusa», gracchia stravaccato sulla sedia, con il capo gettato all'indietro e lo sguardo vacuo. «Scusa, scusa, non volevo, scusa».

Non posso fare niente. È difficile trattenere il vomito.

«Scusa», continua a ripetere, «scusa tanto».

«Dov'è Nick?», chiedo. «Perché non è con te?»

Arrossisce e poi mormora qualcosa di incomprensibile.

«Cosa?»

«Abbiamo litigato. Se n'è andato».

Inizio a scuotere il capo: va da sinistra a destra e da destra a sinistra in un incontrollabile gesto di disprezzo. «Quel bastardo. Quello stupido bastardo».

«No, Victoria, è stata colpa mia».

Ho il cellulare in mano e compongo con violenza il numero di Nick, che risponde due squilli dopo.

«Pronto».

«Capisci la gravità di quello che hai fatto, testa di cazzo che non sei altro?»

«Tori? Ma che stai…».

«Se Oliver non mi avesse chiamato, Charlie avrebbe potuto avere…». Neppure riesco a dirlo. «È tutta colpa tua».

«Ma io non… Aspetta, ma che cazzo è successo?»

«Cosa cazzo *pensi* che sia successo? Hai abbandonato Charlie mentre stavate per mangiare. Non puoi farlo. Non puoi farlo. Non puoi abbandonarlo mentre sta mangiando, lasciarlo solo *lo sconvolge*. Non l'hai imparato l'anno scorso?»

«No...».

«Mi fidavo di te. Dovevi essere tu a tenerlo d'occhio e ora sono entrata in cucina e lui... Non sarei dovuta uscire. Sarei dovuta restare qui. Noi... Io dovrei *essere qui* quando succedono queste cose».

«Aspetta, ma ch...».

Stringo forte il cellulare e mi tremano le mani. Charlie mi guarda, dai suoi occhi scendono lacrime silenziose. Adesso è grande. Non è più un bambino. Fra un paio di mesi compirà sedici anni, quanti ne ho io. Sembra più grande di me. Passerebbe facilmente per un diciottenne.

Chiudo la chiamata, trascino una sedia accanto a mio fratello e lo abbraccio.

Nick ci raggiunge e rimettiamo a posto la cucina insieme a Charlie. Mio fratello continua a trasalire e a tenersi il capo via via che scompongo le sue preziose pile di lattine e cartoni, ma lo faccio lo stesso perché lo psichiatra si è raccomandato di essere brutali. All'inizio urlava contro di me quando spostavo le sue pietanze, a volte addirittura tentava di impedirmelo fisicamente. Ormai non lo fa più.

Mi libero delle lasagne e, trovata la cassetta del pronto soccorso, incerotto il braccio di Charlie. Per fortuna i tagli questa volta non sono tanto profondi da richiedere i punti. Preparo la tavola e dei toast con fagioli, così ci sediamo. Il pasto è difficile. Charlie non vuole mangiare niente. Le sue ginocchia non fanno che dondolare su e giù e la forchetta sale alla bocca e poi si ferma, riluttante a proseguire il cammino. A volte, quando era in ospedale, gli lasciavano bere delle bevande multicaloriche in sostituzione del vero pasto. Qui a casa non ne abbiamo, però. Cerco di alzare la voce con lui, altrimenti la situazione peggiorerebbe.

Alla fine, Nick e io lo scortiamo a letto.

«Scusa», dice Charlie, disteso, con il braccio sulla fronte.

Mi fermo sulla soglia della stanza. Nick è sul pavimento, vestito con un pigiama di Charlie che gli va troppo stretto, con un suo piumone e un cuscino. Osserva mio fratello con un'espressione che, in qualche modo, racchiude al contempo paura e amore. Ancora non l'ho perdonato, ma so che si riscatterà presto. So che ci tiene a Charlie. Moltissimo.

«Lo so, ma dovrò dirlo a mamma e papà», affermo.

«Lo so».

«Tornerò a darti un'occhiatina».

«Okay».

Ma resto lì. Dopo un po' mi chiede: «Tu… stai bene?».

Strana domanda, a mio avviso. È lui che… «Perfettamente».

Spengo la luce e scendo di sotto per chiamare papà. Lui resta calmo. Troppo calmo. Non mi piace: vorrei che uscisse di testa e si mettesse a gridare in preda al panico, invece non lo fa. Mi dice che rientreranno a casa immediatamente. Chiudo il telefono, mi verso un bicchiere di limonata diet e per un po' mi siedo in salotto. È notte fonda. Le tende sono ancora aperte.

Persone come Charlie Spring non se ne trovano tante nel mondo, mi pare di averlo già specificato. Soprattutto non se ne trovano tante negli istituti maschili. Se posso dire la mia, le scuole per maschi devono essere un inferno. Forse perché non conosco molti ragazzi. O forse ho avuto una brutta impressione vedendo gli alunni del Truham all'uscita dei cancelli, frotte di ragazzi che si versano l'un l'altro soft drink tra i capelli, che si danno reciprocamente del gay e maltrattano i rossi. Non lo so.

Non so nulla della vita di Charlie a scuola.

Torno di sopra e faccio capolino nella sua camera. Lui e Nick si sono addormentati insieme nel letto: Charlie si è rannicchiato sul petto di Nick. Chiudo la porta.

Vado nella mia stanza. Il tremore riprende e mi guardo a lungo allo specchio, iniziando a chiedermi se in realtà io non sia Mercoledì Addams. Mi ricordo di quella volta in cui avevo trovato Charlie in bagno e c'era un mucchio di sangue ovunque.

La mia camera è al buio e la pagina del mio blog, aperta sullo schermo del portatile, è diventata una fioca lucina azzurra. Mi metto a girare in tondo, finché non mi fanno male i piedi. Metto su qualcosa di Bon Iver e poi dei Muse, e ancora Noah and the Whale, brani molto stupidi e angoscianti. Piango, ma non a lungo. Sul cellulare è arrivato un messaggio che però non leggo. Ascolto il buio. Vengono a prenderti. I tuoi battiti sono passi. Tuo fratello è psicotico. Non hai nessun amico. Nessuno soffre per te. *La Bella e la Bestia* non è reale. È buffo perché è vero. Non essere mai più triste. Non essere mai più triste.

Quattordici

14:02
Chiamata Michael Holden

«Pronto».

«Non ti ho svegliato, vero?».

«Michael! No».

«Bene. Il sonno è importante».

«Come hai avuto il mio numero?»

«Mi hai chiamato, ti ricordi? Lì nell'aula di Informatica. L'ho salvato».

«Quanto sei infido».

«Direi pieno di risorse».

«Mi chiami per Charlie?»

«Chiamo per te».

«…».

«Charlie sta bene?»

«Oggi i miei l'hanno portato in ospedale. Per qualche analisi e cose del genere».

«Dove sei?»

«A letto».

«Alle due del pomeriggio?»

«Già».

«Posso…».

«Cosa?»

«Posso passare a trovarti?»

«Perché?»

«Non mi piace saperti lì abbandonata a te stessa. Tu mi sembri una di quelle vecchiette che vivono sole, con i gatti e la TV sempre accesa».

«Ah, davvero?!».

«E io sono il ragazzino a cui piacerebbe fare un salto per permetterti di rinvangare le memorie della guerra e condividere del tè con biscotti».

«Il tè non mi piace».

«Ma i biscotti sì. I biscotti piacciono a tutti».

«Oggi non è aria di biscotti per me».

«Be', io sto per passare, Tori».

«Ma non devi venire a trovarmi. Sto benissimo».

«Non *mentire*».

Sta arrivando. Non mi preoccupo di togliermi il pigiama e cambiarmi, di lavarmi i denti o di vedere se la mia faccia ha ancora qualcosa di umano. Non mi importa. Non lascio il letto nonostante la fame, anzi, accetto il fatto che il rifiuto di alzarmi probabilmente mi condurrà a morire d'inedia. Poi mi rendo conto che non potrei far sì che i miei abbiano ben *due* figli che fanno consapevolmente lo sciopero della fame. Oddio, quanti problemi! Persino stare a letto è stressante.

Il campanello del portoncino suona e decide al mio posto.

Sono in piedi nella veranda con una mano sulla porta aperta. Lui è già sull'ultimo gradino, ha l'aria da figlio di papà ed è troppo alto con quella scriminatura dei capelli e quegli occhiali dalla grandezza stupida. La bicicletta è incatenata alla nostra staccionata. Ieri notte non mi ero accorta che, in effetti, è dotata di un cestino. Ci sono chissà quanti gradi sotto zero eppure lui è di nuovo in maglietta e jeans.

Mi esamina dall'alto in basso. «Oh povera cara».

Gli chiuderei la porta in faccia se lui non la tenesse aperta con una mano. E, dopo, non posso più fermarlo. Semplicemente mi afferra. Le sue braccia mi circondano. Il suo mento si posa sul mio capo. Le mie braccia, dunque, sono intrappolate e ho la guancia praticamente spappolata contro il suo petto. Il vento ci mulina intorno, eppure non sento freddo.

Mi prepara un tè, e io detesto il tè, porca miseria. Lo beviamo in tazze fatiscenti sul tavolo di cucina.

Mi chiede: «Di solito che fai il sabato? Esci?»

«No, se posso evitarlo», rispondo. «E tu che fai?»

«Proprio non lo so».

Prendo un sorsetto di quella brodaglia. «Non lo sai?».

Si appoggia allo schienale. «Il tempo passa. Faccio cose. Alcune sono importanti. Altre no».

«Ti credevo un ottimista».

Ridacchia. «Soltanto perché una cosa non è importante non significa che non valga la pena farla». In cucina la luce è spenta e sta diventando buio, molto buio. «Allora oggi dove andiamo?».

Scuoto la testa. «Non posso uscire, c'è Oliver».

Mi guarda perplesso. «Oliver?».

Aspetto che se ne ricordi, ma inutilmente. «Il mio fratellino di sette anni. Te l'avevo detto che ho due fratelli».

Di nuovo quello sguardo perplesso. «Oh, sì. Già. Sì». È davvero un po' emozionato. «Ti assomiglia? Posso conoscerlo?»

«Mmm, certo».

Chiamo Oliver, che dopo un minuto o poco più scende con un trattore in mano, ancora in pigiama e vestaglia. Il cappuccio della vestaglia è ornato da un paio di orecchie di tigre. Si ferma sulle scale, si sporge dal corrimano e guarda in cucina.

Michael si presenta, è ovvio, con un cenno della mano e un sorriso abbagliante. «Ciao! Sono Michael».

Mio fratello si presenta con lo stesso calore. «Mi chiamo Oliver Spring!», dice salutando con il giocattolo. «E questo è Tractor Tom». Se lo porta all'orecchio e lo ascolta prima

105

di proseguire: «Tractor Tom pensa che non sei pericoloso e quindi se ti va hai il permesso di andare nel trattore-salotto».

«Sarei felicissimo di visitare il trattore-salotto», replica Michael. Penso che sia un po' sorpreso. Oliver non mi assomiglia per niente.

Mio fratello lo esamina con sguardo critico. Dopo un momento di riflessione, si porta la mano alla bocca e mi sussurra sonoramente: «È il tuo *ragazzo*?».

E questo mi fa ridere per davvero. Ridere a crepapelle. Una risata di cuore. Anche Michael ride, ma poi si ferma a guardarmi mentre continuo a sorridere. Non credo che mi abbia mai visto ridere. Forse nemmeno sorridere. Non dice niente, resta solo a guardare.

Ed ecco il modo in cui ho trascorso quel che rimaneva del sabato in compagnia di Michael Holden.

Cambiarsi non importava. Michael fa razzia negli armadi di cucina e mi insegna a preparare una torta al cioccolato, e così per tutto il tempo mangiamo cioccolato. Michael taglia la torta a cubetti, non a fette, e quando gli chiedo il motivo risponde: «Non mi piace adeguarmi alle consuetudini del taglio tipico delle torte».

Oliver non fa che correre su e giù per mostrargli la sua grande e varia collezione di trattori, verso la quale Michael dimostra un educato entusiasmo. Tra le quattro e le cinque faccio una pennichella nella mia stanza, mentre lui legge *La metamorfosi* disteso sul pavimento. Al risveglio, mi racconta perché il personaggio principale non è in verità tale, o qualcosa del genere, e aggiunge che il finale non gli piace perché il personaggio presunto principale muore. A quel punto si scusa per avermi svelato il finale, ma io gli ricordo che non leggo.

Dopodiché, tutti e tre saliamo dentro il trattore-salotto e giochiamo a un vecchio gioco, *Game of Life*, che Michael ha scovato sotto il mio letto. Si distribuiscono un mucchio di soldi, tipo *Monopoli*, e poi l'obiettivo del gioco sembra essere avere la vita di maggior successo: il lavoro migliore, lo stipendio più alto, la casa più grande, l'assicurazione migliore. È un gioco da tavolo proprio vecchio. Comunque, ci abbiamo trascorso circa due orette e, dopo un altro giro di torta, siamo passati a *Sonic Heroes*, sulla PlayStation2. Oliver trionfa su di noi battendoci alla grande, e come premio lo devo portare a cavalcioni tutta la sera. Alla fine lo metto a letto e guardo *I Tenenbaum* con Michael, che piange quando Luke Wilson si taglia i polsi. E, quando Luke Wilson e Gwyneth Paltrow decidono che il loro amore deve restare segreto, piangiamo entrambi.

Alle dieci mia madre e mio padre rientrano a casa con Charlie. Mio fratello va dritto in camera sua senza dirmi una parola. Michael è seduto con me sul divano del salotto e ha scelto della musica da farmi ascoltare con il portatile. Lo ha attaccato alle casse dello stereo. Musica per pianoforte, o roba simile. Ci fa appisolare e mi inclino verso di lui, ma in un modo per niente romantico. I miei sembrano bloccarsi nel corridoio, fermi, perplessi, paralizzati.

«Salve», dice Michael. Salta in piedi e porge la mano a mio padre. «Mi chiamo Michael Holden. Sono un nuovo amico di Tori».

Papà ricambia la stretta: «Michael Holden, bene. Felice di conoscerti, Michael».

Poi Michael stringe anche la mano di mia madre, cosa che mi pare un po' strana. Non lo so. Non sono esperta di etichetta.

«Bene», risponde mamma, «certo, un amico di Tori».

«Spero che vada bene se sono passato a trovarla», dice lui. «Ho conosciuto Tori un paio di settimane fa. Ho pensato che poteva sentirsi un po' taglia sola».

«Certo», replica mio padre annuendo. «Sei stato molto gentile, Michael».

La conversazione è talmente noiosa e scontata che sono quasi tentata di addormentarmi. Però non lo faccio.

Michael si rivolge di nuovo a papà: «Mentre ero qui, ho letto *La metamorfosi*. Tori mi ha detto che glielo ha prestato lei. L'ho trovato geniale».

«Davvero?». Ecco apparire la luce letteraria negli occhi di mio padre. «Cosa hai capito?».

E proseguono parlando di letteratura mentre io resto distesa sul divano. Vedo che mia madre mi lancia occhiate furtive come se tentasse di leggere la verità attraverso me. No, le rispondo in modo telepatico. No, Michael non è il mio ragazzo. Piange per *La Bella e la Bestia*. Mi ha insegnato a preparare la torta al cioccolato. Mi ha inseguita fino al ristorante facendo finta di averne dimenticato il motivo.

Quindici

A causa di uno strano sogno che ho fatto, quando mi sveglio non ricordo chi sono. Tuttavia, presto mi ridesto del tutto scoprendo che è già domenica. Sono ancora sul divano. Ho il cellulare nella tasca della vestaglia e do un'occhiata per verificare l'ora: sono le 7:42 del mattino.

Salgo di sopra all'istante e faccio capolino nella stanza di Charlie. Dorme ancora, è ovvio, e ha un'espressione tanto placida. Sarebbe bello se avesse sempre quest'aria.

Ieri Michael Holden mi ha raccontato un mucchio di cose e, fra queste, mi ha detto dove vive. Perciò – e ancora non sono sicura del come o del perché – in questa domenica desolata qualcosa mi induce ad alzarmi dal divano e a incamminarmi verso casa sua al Sole Morente.

Il Sole Morente è la sommità di una rupe che sovrasta il fiume. È l'unica nella contea. Non so perché c'è una rupe sopra al fiume, dato che di solito sui fiumi non ci sono rupi, tranne nei film o in astratti documentari su posti in cui non si andrà mai. Ma questo nome teatrale proviene dal fatto che, se ci si sporge, ci si ritrova esattamente sul lato opposto a dove tramonta il sole. Un paio di anni fa, avevo deciso di farmi un giro della città e ricordo la lunga casa bruna situata a pochi metri dall'orlo del dirupo, quasi fosse pronta a compiere un balzo.

Forse è proprio perché, in effetti, ne ho memoria, che mi avvio per il lungo viottolo fino a fermarmi di fronte alla casa scura sul Sole Morente alle nove del mattino.

La casa di Michael ha un cancello di legno, così come di legno è il portoncino; nel cartello sul muro d'entrata si legge "Cottage di Jane". Ti aspetteresti di trovarci a vivere un contadino, o una persona anziana e sola. Resto lì, proprio davanti al cancello. È stato un errore venire qui, un errore totale. Sono tipo le nove del mattino: nessuno è già sveglio alle nove del mattino di domenica. Non posso bussare così a casa d'altri. Lo farebbe un bambino delle elementari, porca miseria.

Torno indietro per il viottolo. Dopo una ventina di passi sento il suono del portoncino che viene aperto.

«*Tori*».

Mi blocco. Non sarei dovuta venire qui. Non sarei dovuta venire qui.

«Tori, sei tu, vero?».

Molto lentamente mi giro. Michael, dopo aver aperto il cancello, sta camminando a passo svelto per raggiungermi. Si ferma e sorride in quel modo abbacinante.

Per un istante, davvero non credo che sia lui. È stupendamente scompigliato. I capelli, di solito ingellati e divisi dalla riga, volteggiano in ciocche ondulate e lui indossa un mucchio incredibile di capi, tra cui un maglione e dei calzettoni di lana. Gli occhiali gli stanno cadendo dal naso. Non sembra molto sveglio e la voce, sempre tanto sottile, è un po' rauca.

«Tori!», dice schiarendosi la gola. «Sei Tori Spring!».

Perché sono venuta qui? Che mi passava per la testa? Perché sono così cretina?

«Sei venuta a casa mia», dice muovendo la testa di qua e di là in un'espressione che chiaramente è puro sbalordimento. «Cioè, ho pensato che potessi farlo, ma nello stesso tempo non... capisci?».

Distolgo lo sguardo. «Scusa».

«No no, sono felicissimo che tu l'abbia fatto. Davvero».

«Posso tornare a casa, non intendevo...».

«*No*». Ride in modo bello. Si passa la mano nei capelli. Non l'avevo mai visto fare quel gesto prima.

Mi ritrovo a sorridere anch'io. Anche questo, non sono sicura di come sia possibile.

Sopraggiunge una vettura dietro di noi e rapidi ci spostiamo sul ciglio del viottolo per lasciarla passare. Il cielo è ancora un po' aranciato e in tutte le direzioni, a parte che verso la cittadina, si vedono distese di campi, molti in stato di abbandono e con l'erba alta che si muove come le onde del mare. Comincio a sentirmi come se stessi veramente nel film *Orgoglio e pregiudizio*, quel pezzo alla fine in cui vanno fuori in un campo nebbioso mentre il sole sta sorgendo.

«Ti andrebbe di… uscire?». Lo dico. E subito aggiungo: «Oggi?».

Lui è letteralmente basito. Perché-sono-così-cretina?!

«S-sì. Assolutamente. Wow, sì. *Sì*».

Perché…

Guardo la villa. «Hai una bella casa». Mi chiedo come sia l'interno. E chi siano i suoi genitori. E mi domando che decorazioni abbia la sua stanza da letto: poster? Luci? Magari ha dipinto qualcosa. Forse sugli scaffali giacciono vecchi giochi da tavolo. Forse una poltrona a sacco. O statuette. Forse sul letto ha lenzuola con i motivi aztechi e le pareti sono nere, tiene i peluche in una scatola e il diario sotto il cuscino.

Guarda anche lui l'edificio e la sua espressione si rattrista d'improvviso. «Già», dice, «immagino di sì». Si gira verso di me. «Ma dovremmo andare da qualche parte».

Rapido, torna indietro per chiudere il cancello. I suoi capelli sono proprio esilaranti. Però carini, tanto che non riesco a staccare gli occhi. Mi raggiunge per oltrepassarmi, ma poi si gira e mi porge la mano. Il maglione, che è troppo grande di misura, sventola intorno al suo corpo.

«Vieni?».

Mi avvicino a lui. Poi faccio una cosa molto patetica.

«I tuoi capelli». Sollevo la mano per scostargli una ciocca scura che gli copre l'occhio azzurro. «Sono… *liberi*». Sposto di lato la ciocca.

Soltanto adesso mi rendo conto di ciò che ho fatto e mi allontano, facendomi piccola piccola. Come se desiderassi smaterializzarmi, in stile Harry Potter.

Per quel che sembra un'era glaciale, lui non smette di fissarmi con quel suo sguardo gelido e alla fine giurerei che arrossisce un po'. Mi sta ancora porgendo la mano e quindi la stringo, ma questo lo fa quasi *sobbalzare*.

«Che mano fredda», commenta. «Il sangue ce l'*hai*?»

«No», rispondo, «sono un fantasma, ricordi?».

Sedici

Mentre passeggiamo per il viottolo, nell'aria qualcosa è cambiato. Camminiamo mano nella mano, eppure in un modo assolutamente non romantico. Il volto di Michael continua a turbinare nella mia mente e giungo alla conclusione che non conosco il ragazzo che procede al mio fianco. Non lo conosco affatto.

Mi porta in un bar che si chiama Café Rivière. Sta vicino al fiume, da cui il nome poco originale, e ci sono già stata moltissime volte. Siamo gli unici lì dentro, a parte il vecchio proprietario francese che sta spazzando il pavimento. Ci sediamo a un tavolo coperto da una tovaglia a quadretti e ornato da un vasetto di fiori, vicino a una finestra. Michael beve del tè mentre io mangio un croissant.

Per il gran desiderio di fare conversazione, di cui ignoro il motivo, esordisco con: «Allora, perché hai cambiato scuola?».

La subitanea espressione della sua faccia mi dice che la domanda non è superficiale come voleva essere nelle mie intenzioni.

Mi faccio piccola. «Oh, scusa scusa. Che impicciona. Non devi rispondere».

Per circa un minuto continua a sorseggiare il tè, finché non posa la tazza e fissa lo sguardo sui fiori tra di noi.

«No, va bene, non è così importante». Ridacchia tra sé come se si ricordasse qualcosa. «Io, be', non mi trovavo molto bene con quelli che stavano lì. Né con gli insegnanti né con i compagni… Ho pensato che cambiare aria potesse farmi bene. Che me la sarei cavata meglio con le ragazze, o qualcosa di altrettanto stupido». Fa spallucce e ride, ma non è una risata divertita, è diversa. «E invece. Evidentemente, la mia personalità è troppo stramba da gestire sia per le ragazze che per i ragazzi».

Non so perché, ma comincio a sentirmi abbastanza triste. Non è la mia tristezza normale, quell'inutile e autoinflitta sorta di malinconia da orgia di commiserazione, ma una tristezza proiettata all'esterno. «Dovresti essere un personaggio di una serie tipo *Waterloo Road* o *Skins*», commento.

Ride ancora. «E perché dovrei?»

«Perché sei…», ma concludo la frase con un'alzata di spalle. Mi risponde con un sorriso.

Per qualche istante non parliamo. Io mangio. Lui beve.

«Che farai il prossimo anno?», gli chiedo. Sembra quasi che lo stia intervistando, d'altronde, una volta tanto, ho questa sensazione strana… come se mi *interessasse*. «L'università?».

Lui accarezza la tazza, assorto. «No. Insomma, no, non lo so. Comunque ormai è troppo tardi: i termini per iscriversi all'UCAS sono scaduti ieri. Come si può pensare che decida la facoltà universitaria, se a scuola, la maggior parte delle volte, non riesco neppure a decidere quale *penna* usare?»

«Credevo che la nostra scuola *facesse* iscrivere all'università gli studenti dell'ultimo anno. O almeno pensasse a un tirocinio e roba del genere. Anche se poi uno non lo vuole fare».

Inarca le sopracciglia. «Sai, in realtà la scuola non può *farti* fare niente».

La verità di quest'affermazione è come un pugno in faccia.

«Ma… com'è che non hai fatto comunque domanda in qualche facoltà? Nel caso poi decidessi di andarci».

«Perché *odio* la scuola!», e lo dice ad alta voce. Comincia a scuotere la testa. «L'idea che per tre anni devi stare seduto a imparare roba che non mi sarà di nessun aiuto nella vita mi fa *letteralmente* vomitare. Sono stato sempre una sega al momento degli esami e lo sarò sempre, e *detesto* il fatto che tutti credono che per avere una vita decente *devi* andare all'università».

Resto lì seduta, ammutolita.

E per un minuto nessuno parla, poi alla fine lui ricambia il mio sguardo.

«Magari riesco a essere costante soltanto negli sport», confessa, di nuovo tranquillo, con un sorriso timido.

«Ah bene, quale fai?»

«Eh?»

«Quale sport pratichi?»

«Sono un pattinatore di velocità».

«Aspetta, che cosa sei?»

«Sono un pattinatore di velocità».

«Una sorta di corsa, ma sul ghiaccio?»

«Già».

Scuoto il capo. «Mi sa che hai scelto uno sport a caso».

Annuisce concorde. «Mi sa di sì».

«E sei bravo?».

Non risponde subito.

«Me la cavo», dice infine.

Ha iniziato a piovere. Le gocce cadono sulla superficie del fiume, acqua che incontra altra acqua, e sulla finestra scendono come se la vetrata stessa piangesse.

«Fare il pattinatore sarebbe piuttosto fico», prosegue, «ma, sai, è dura. Cose del genere sono difficili».

Prendo un altro morso di croissant.

«Piove». Si appoggia alla mano. «Se uscisse il sole, ci sarebbe un arcobaleno. Sarebbe bellissimo».

Guardo fuori dalla finestra. Il cielo è grigio. «Non c'è bisogno di un arcobaleno perché sia bello».

Il proprietario del bar borbotta qualcosa. Una vecchia signora entra zoppicando appoggiandosi al bastone e siede vicino a noi, presso una finestra. Ha l'aria di chi si sta impegnando molto o sta facendo un grande sforzo. Mi accorgo che i fiori sul tavolo sono finti.

«E ora cosa facciamo?», chiede Michael.

Ci penso su un istante.

«Al cinema, di pomeriggio, danno *L'Impero colpisce ancora*», propongo.

«Sei una fan di *Guerra stellari*?».

Incrocio le braccia. «Ti sorprende?».

Mi guarda. «Mi sorprendi sempre. In generale». Ma la sua espressione cambia. «Sei una fan di *Guerre stellari*», ripete.

Mi acciglio. «Eh, già».

«E suoni il violino».

«Mmm, già».

«I gatti ti piacciono?».

Scoppio a ridere: «Ma di che cazzo parli?»

«Assecondami per un minuto».

«Va bene, bene, già, i gatti sono abbastanza fighi».

«E che ne pensi di Madonna? E di Justin Timberlake?».

Michael è una persona davvero strana, ma sempre più la conversazione procede dritta verso il confine con la pazzia.

«Be', alcuni loro pezzi sono buoni. Però dimmi per favore di che stai parlando. Inizio a preoccuparmi della tua salute mentale».

«*Solitaire*».

Ci paralizziamo entrambi, gli sguardi fissi l'uno sull'altro. Lo scherzo di *Guerre stellari*. Il video del violinista. I gatti, *Material Girl*, *SexyBack* di Justin Timberlake…

«Stai insinuando quello che penso?»

«Cosa pensi che stia insinuando?», domanda Michael con aria innocente.

«Penso che stai insinuando che Solitaire abbia qualcosa a che fare con *me*».

116

«E tu che cosa risponderesti?»

«Direi che è la cosa più esilarante che abbia mai sentito in tutto quest'anno».

Mi alzo per indossare il cappotto. «Sono la persona più insignificante sulla faccia della Terra».

«Questo è quello che pensi *tu*».

Invece di continuare la discussione, gli domando: «Perché ti interessa tanto?».

Si prende un momento, e si appoggia di nuovo allo schienale. «Non lo so. È che mi sono incuriosito di questa roba, sai. Voglio sapere chi è che agisce, e perché». Ridacchia. «Ho una vita molto triste, così com'è».

Quest'ultima frase impiega pochi secondi a raggiungermi con la sua forza d'impatto. È la prima volta che sento dire una cosa del genere da Michael Holden. Una di quelle cose che direi io.

«Ehi», e annuisco. «Vale anche per me».

Prima di uscire dal caffè, Michael offre all'anziana signora una tazza di tè. Poi mi porta alla pista di pattinaggio sul ghiaccio per farmi vedere quanto è veloce sui pattini e scopro che è molto amico di tutto il personale. Batte il cinque con ognuno dei dipendenti e loro insistono a salutare anche me nello stesso modo. Mi fa strano, ma mi sento anche abbastanza fica.

Michael è un pattinatore folle: quando mi supera, in realtà è come se volasse, tutto rallenta e vedo il suo viso mentre lui si gira e sorride, poi si allunga e semplicemente scompare, seguito dal suo fiato che si condensa come quello di un drago. In compenso, io casco almeno sette volte.

Dopo un bel po' che percorro traballando la pista, Michael si commuove e pattina insieme a me. Afferro la sua mano nel tentativo di non cadere faccia a terra, mentre lui pattina a ritroso, trascinandomi con sé. Scoppia a ridere di fronte alla mia espressione concentrata e sghignazza tanto che gli spuntano le lacrime agli occhi. Una volta che riesco a prendere il ritmo, ci lanciamo in alcune figure al ritmo di *Radio People* di Zapp, un gioiellino sottovalutato degli anni Ottanta, nonché la mia canzone preferita della colonna sonora di *Una pazza giornata di vacanza*. Mentre stiamo uscendo, dopo circa un'oretta, sulla bacheca dello Skating Club mi mostra la sua foto a dieci anni, con un trofeo in mano.

In città passeggiano soltanto alcuni anziani, è una domenica sonnolenta. Facciamo un giro per le botteghe antiquarie e provo un violino di seconda mano: riesco a ricordarmi un numero incredibile di brani. Michael si unisce a me con un pianoforte e insieme improvvisiamo, finché il proprietario non decide che si è stufato e ci sbatte fuori. In un altro negozio troviamo un caleidoscopio sbalorditivo. È di legno e si allunga come un telescopio. A turno osserviamo i motivi che si formano, tanto che Michael decide di comprarlo. È pure costoso. Gli domando il motivo per cui lo ha voluto comprare e lui mi risponde che non gli piaceva l'idea che qualcun altro lo potesse usare.

Passeggiamo lungo il fiume, dove gettiamo sassolini e sul ponte giochiamo a Pooh Sticks, lanciando dei bastoncini nella corrente e vedendo quale emerge prima. Andiamo al cinema alla proiezione di *Guerre stellari. L'Impero colpisce ancora*, che è ovviamente stupendo, e poi ci tratteniamo a vedere *Dirty Dancing*, visto che pare che sia una giornata anni Ottanta, anche se è un film scemissimo. La protagonista è forse la persona più irritante in cui ho avuto la disgrazia di imbattermi. Soprattutto a causa dei suoi completini, e della sua voce.

A metà del film mi arriva un altro messaggio sul blog.

Anonimo: Pensiero del giorno: Perché la gente lascia i giornali sul treno?

Lo mostro a Michael. «Che domanda *fantastica*», commenta. Non capisco proprio perché sia fantastica, quindi cancello il messaggio, così come avevo fatto con l'altro.

Non so che ore siano ma ormai sta calando il buio. Torniamo al Sole Morente. Un po' più avanti sulla rupe si staglia la casa di Michael, che spicca all'orizzonte. Davvero, la sommità della rupe è il luogo più bello del mondo. Il più bel capo dell'universo.

Ci teniamo in bilico sull'orlo, con il vento che ci soffia nelle orecchie. Faccio penzolare una gamba nel nulla e riesco a persuadere anche Michael a farlo.

«Il sole sta tramontando», dice.

«Il sole sorgerà ancora», replico prima di potermi fermare.

Gira il capo come un automa: «Dillo di nuovo».

«Cosa?»

«Dillo di nuovo».

«Dire cosa?»

«Quello che hai appena detto».

Sospiro. «*Il sole sorgerà ancora*».

«E chi, se mi è permesso chiedere, ha scritto una tale perla della letteratura?».

Sospiro ancora una volta. «Ernest Hemingway».

Scuote il capo. «Detesti la letteratura. La odi. Non riesci neanche a finire *Orgoglio e pregiudizio*».

«…».

«Elencami altri tre romanzi di Hemingway».

«Sul serio? Sul serio me lo chiedi?».

Sorride.

Ruoto gli occhi. «*Per chi suona la campana. Il vecchio e il mare. Addio alle armi*».

Apre la bocca per lo stupore.

«Ma non ne ho letto uno».

«Adesso ti metto alla prova».

«Oh mio Dio».

«Chi ha scritto *La campana di vetro*?».

«…».

«Non far finta di non saperlo, Spring».

È la prima volta che mi chiama per cognome, e non mi è chiaro che significato abbia nel nostro rapporto.

«Va bene: Sylvia Plath».

«Chi ha scritto *Il giovane Holden*?»

«J.D. Salinger. Questa era proprio facile».

«Allora okay: chi ha scritto *Finale di partita*?»

«Samuel Beckett».

«*Una stanza tutta per sé*?»

«Virginia Woolf».

Mi osserva attentamente. «*Belli e dannati*».

Vorrei non rispondere ma non ce la faccio: non posso mentire con lui. «F. Scott Fitzgerald».

Scuote la testa. «Conosci i titoli di tutti i romanzi, eppure non ne hai letto uno. È come se piovessero soldi ma ti rifiutassi di raccogliere persino uno spicciolo».

So che, se resistessi per qualche pagina, probabilmente finirei per godermi la lettura, ma non lo faccio. Non leggo i romanzi perché so che niente di quello che c'è scritto è vero. Già, sono un'ipocrita. I film non sono reali eppure li adoro. Però i libri… sono diversi. Quando vedi un film, è come se fossi un osservatore dall'esterno. Con un libro… sei proprio lì. Ci stai dentro. Sei tu il personaggio principale.

Un minuto dopo mi chiede: «Hai mai avuto un ragazzo, Tori?».

Sbuffo: «Ovvio che no».

«Non dire così. Sei attraente. Potresti tranquillamente aver avuto un ragazzo».

Non sono affatto attraente.

Gli rispondo a tono: «Sono una donna forte e indipendente che non ha bisogno degli uomini».

La battuta lo fa sbellicare dalle risate, in effetti, tanto che si copre la faccia con le mani e la sua espressione fa ridere anche me. Continuiamo a sghignazzare come pazzi finché il sole non è tramontato del tutto.

Dopo che ci siamo calmati, lui si distende sull'erba.

«Spero che non ti dispiaccia se lo dico, ma a scuola Becky non sembra che ti fili molto. Cioè, se uno non sapesse che siete amiche del cuore, non se ne accorgerebbe». Mi guarda. «Non vi parlate tanto».

Mi siedo a gambe incrociate. Un altro cambio repentino di argomento. «Già... lei... non lo so. Forse è per questo che siamo amiche del cuore. Perché non abbiamo bisogno di parlare troppo». Guardo verso di lui, disteso. Un braccio sopra la fronte, i capelli scompigliati e le ultime luci del giorno che vorticano riflesse nel suo occhio azzurro come i motivi nel caleidoscopio. Distolgo lo sguardo. «Lei ha tante più amiche di me, credo. Però va bene così. Non m'importa. È comprensibile. Io sono alquanto noiosa. Cioè, la sua vita sarebbe noiosissima se stesse solo con me tutto il tempo».

«Non sei noiosa. Proprio per niente».

S'interrompe.

«Penso che tu sia davvero una buona amica», dice. Mi volto di nuovo. Mi sorride e questo mi ricorda l'espressione che aveva il giorno in cui ci siamo conosciuti: sfrenata, scintillante, quasi irraggiungibile. «Becky è davvero fortunata ad avere qualcuno come te».

Non sarei nulla senza Becky, credo. Nonostante ora le cose siano differenti. A volte, pensare a quanto sia grande l'affetto che provo per lei mi fa commuovere. «È il contrario, sono io quella fortunata».

Adesso non ci sono quasi più nuvole. All'orizzonte il cielo

è aranciato e sopra di noi già blu scuro. Sembra un portale. Inizio a ripensare al film di *Guerre stellari* che abbiamo visto prima. Da bambina volevo disperatamente essere una Jedi. La mia spada laser sarebbe stata verde.

«Devo tornare a casa», dico alla fine. «Non ho detto ai miei che sarei uscita».

«Ah. Certo». Ci alziamo in piedi. «Ti accompagno».

«Sul serio, non devi…».

Ma lui lo fa comunque.

Diciassette

Quando arriviamo al portoncino di casa mia, il cielo è nero e non ci sono stelle.

Michael si volta per abbracciarmi. Mi coglie così di sorpresa che non ho il tempo di reagire e ancora una volta le braccia mi restano intrappolate lungo i fianchi.

«È stata una bellissima giornata», mi dice, stringendomi a sé.

«Anche per me».

Lui si lascia andare. «Pensi che ora siamo amici?».

Ho un'esitazione e non ne capisco il motivo. Tentenno senza alcuna ragione. Mi pentirò di quello che sto per dire non appena aprirò bocca.

«È tipo…», dico, «insomma, tu… insomma, tu vuoi essere mio amico».

La sua espressione è leggermente imbarazzata, quasi di scusa.

«È come se lo stessi facendo per te stesso», continuo.

«Ogni amicizia è egoista. Se fossimo tutti altruisti, forse ci lasceremmo in pace».

«A volte è la cosa migliore».

La frase lo ferisce. Non dovevo dirlo. Ho scaraventato via la sua felicità. «Lo è?».

Non so perché non gli ho detto semplicemente che siamo amici, per farla finita.

«Ma di che stiamo parlando? Ti conosco da, diciamo, due settimane. Niente di questo ha un senso. Non capisco perché vuoi essermi amico».

«Questo l'hai detto l'ultima volta».

«L'ultima volta?».

«Perché lo rendi tanto complicato? Non abbiamo più sei anni».

«Sono solo tremendamente… io… non lo so».

Adesso ha il broncio.

«Non so cosa dire», concludo.

«Va bene». Si toglie gli occhiali per pulirli con la manica del maglione. Non l'avevo mai visto senza occhiali. «Tutto a posto». E, appena si rimette gli occhiali, la tristezza si disintegra completamente e ciò che resta al di sotto è il vero Michael, il focoso, il pattinatore, il ragazzo che mi ha seguito fino al ristorante per dirmi qualcosa che poi non ricordava, il ragazzo che non ha niente di meglio da fare se non costringermi a uscire di casa per vivere.

«È ora che mi arrenda?», si chiede prima di rispondersi: «No, non lo è».

«Sembra quasi che ti sia innamorato di me», dico. «Che cavolo».

«Non c'è ragione per cui non debba innamorarmi di te».

«Ma hai fatto capire che sei gay».

«Un'interpretazione del tutto soggettiva».

«Allora, lo sei?».

«Sono gay?».

«Sei innamorato di me?».

Mi fa l'occhiolino: «*È un mistero*».

«Lo prenderò come un no».

«Certo che lo farai. Certo che lo prenderai come un no. Non avevi neppure bisogno di chiedermelo, giusto?».

Adesso mi sta irritando. E molto. «E che cazzo! So che sono una stronza pessimista e scema, ma non mi trattare come se fossi una qualche psicopatica maniaco-depressiva!».

E allora, improvviso come il vento che cambia o un incidente

124

per strada, come quei colpi di scena dei film horror, tutt'a un tratto Michael è una persona completamente diversa. Il suo sorriso si spegne e l'azzurro e il verde dei suoi occhi si rabbuiano. Stringe il pugno e ringhia, *ringhia* sul serio.

«Forse tu *sei* una *psicopatica maniaco-depressiva*».

M'irrigidisco, sbalordita, in preda alla nausea.

«Bene».

Mi volto

ed entro in casa

e sbatto la porta.

Per una volta, Charlie è andato da Nick. Vado nella sua stanza per distendermi. Accanto al suo letto ha appeso una cartina del mondo in cui alcuni luoghi sono evidenziati da un cerchio: Praga. Tokyo. Seattle. Ci sono anche diverse foto insieme a Nick. Nick e Charlie al London Eye. Nick e Charlie a un incontro di rugby. Nick e Charlie in spiaggia. Il suo letto è tanto ordinato. Ossessivamente ordinato. Odora di detersivo. Guardo il libro che sta leggendo, posato vicino al cuscino. Il titolo è *Meno di zero* ed è di Bret Easton Ellis. Una volta Charlie me ne ha parlato. Ha detto che gli era piaciuto perché era il tipo di libro che ti permette di conoscere un po' meglio gli altri. Mi ha anche raccontato che lo aveva aiutato a capire un po' meglio *me*. Non gli ho creduto, poiché penso che i romanzi facciano con facilità il lavaggio del cervello a chi li legge, e pare che Bret Easton Ellis sia famoso per questo su Twitter.

Nel suo comodino esiste un cassetto in cui un tempo teneva tante barrette di cioccolato ben ordinate, finché mamma non le ha scoperte e gettate via, poche settimane prima che fosse ricoverato in ospedale. Adesso nel cassetto ci sono un mucchio di libri. Glieli ha dati di sicuro papà. Chiudo il cassetto.

Vado a prendere il portatile per portarlo nella sua stanza. Do un'occhiata a qualche blog.

Ho rovinato tutto, vero?

Sono arrabbiata per ciò che ha detto Michael. Ma anch'io ho detto cose stupide. Mi metto seduta e mi chiedo se domani mi rivolgerà la parola. La colpa è probabilmente mia. Tutto è colpa mia.

E Becky, quanto parlerà di Ben domani? Un sacco. Penso a chi altro potrei frequentare, ma non c'è nessuno. Penso al fatto che non vorrei mai più uscire da questa casa. Penso ai compiti che forse dovrei fare in questo fine settimana. Penso che orribile persona io sia.

Metto *Il favoloso mondo di Amélie*, che è il film non inglese più bello nella storia del cinema. Davvero, è uno dei film indipendenti più *originali*. Romantico al punto giusto. Si vede chiaramente che è *autentico*. Non è di quelli "lei è carina, lui è bello, si odiano finché non si accorgono che l'altro ha un lato diverso, iniziano a piacersi, si dichiarano, l'amore trionfa, fine". La storia d'amore di Amélie ha senso. Non è finta, è credibile. È *reale*.

Scendo di sotto. Mia madre è al computer. Le auguro la buonanotte, ma lei ci mette almeno venti secondi a sentire la mia voce e allora me ne torno su con un bicchiere di limonata diet.

Diciotto

A scuola, Becky è con Ben. Adesso stanno insieme. Sono insieme nella sala comune e sorridono tantissimo. Prendo posto su una sedia girevole e, dopo diversi minuti, Becky alla fine si accorge della mia presenza.

«Ehi!», mi sorride raggiante, però il saluto ha un suono forzato.

«'Giorno». Anche Becky e Ben sono seduti e le gambe di lei sono poggiate sul grembo di lui.

«Mi sa che non ci conosciamo», dice Ben. È tanto attraente che mi sento ultragoffa. Una cosa che detesto. «Come ti chiami?»

«Tori Spring», rispondo. «Siamo nello stesso corso di Matematica. E anche di Inglese».

«Oh, certo, mi sembrava di averti già visto!». Non credo proprio. «Allora, io sono Ben».

«Bene».

E restiamo così seduti per un po', mentre lui si aspetta che io prosegua la conversazione. È chiaro che non mi conosce.

«Aspetta. Tori *Spring*?». Mi guarda in tralice. «Sei… sei la sorella di *Charlie* Spring?»

«Già».

«Charlie Spring… che sta con Nick Nelson?»

«Già».

Di colpo, si cancella ogni traccia di ipocrisia sul suo volto e resta solo una sorta di ansia soffocata. Per un attimo sembra quasi che cerchi di leggere in me una reazione. Poi si riprende. «Fico. Insomma, lo incontravo al Truham».

Annuisco. «Fico».

«Conosci Charlie Spring?», domanda Becky.

Ben giocherella con i bottoni della camicia. «Non bene. Ci beccavamo a scuola, sai com'è. Il mondo è piccolo, no?»

«Già», e poi ripeto fra me: "no?".

Becky mi fissa con un'espressione strana. Ricambio lo sguardo, nel tentativo di comunicarle telepaticamente che non vorrei essere qui. «Tori», mi dice, «hai fatto i compiti di Sociologia?»

«Sì, e tu?».

Sorride impacciata e sposta lo sguardo su Ben. Si scambiano un'espressione sfacciata. «Abbiamo avuto da fare», ridacchia.

Cerco di non pensare al significato di quel "da fare".

Evelyn è qui da prima, ma ci volge le spalle per chiacchierare con altri del nostro anno con cui io non parlo. A questo punto, ruota la sedia e alzando lo sguardo dice a Ben e Becky: «Perché voi due siete così *adorabili*?».

La osservo. Oggi si è pettinata in un modo molto singolare che non fa altro che accentuare la sua originalità da hipster. Si è messa degli orecchini pesanti e lo smalto nero. So che l'apparenza non conta, dunque mi sforzo di tentare di non giudicarla, però sono una persona cattivissima e non ci riesco.

Frugo nella mia borsa, trovo il compito e lo passo a Becky. «Riportamelo alla lezione di Sociologia», aggiungo.

«*Oh*», dice prendendo il foglio, «sei *fantastica*. Grazie, tesoro».

Becky non mi ha chiamato mai "tesoro" in tutta la mia vita. Mi ha chiamato "ragazza", mi ha chiamato "socia", mi ha chiamato "bella" almeno un centinaio di miliardi di volte. Ma non mi ha mai e poi mai chiamato "tesoro".

Lucas mi raggiunge a ricreazione mentre sto riordinando i libri nel mio armadietto. Cerca di dare il via a una conversazione e io mi sforzo di parlargli per gentilezza, poiché la maggior parte delle volte mi dispiace per lui. Più che altro, almeno, non lo ignoro. Mi sembra che gli siano cresciuti i capelli da venerdì.

Chiacchieriamo a proposito della festa di Becky.

«Già, sono tornato a casa abbastanza presto», dice. «Tu sei sparita».

Mi domando se mi ha vista con Michael. «Già», replico lanciandogli un'occhiata, mentre ho una mano appoggiata all'anta dell'armadietto. «Eh, anch'io sono tornata a casa».

Annuisce e infila le mani nelle tasche dei pantaloni. Però si vede. Si vede che sa che non ero tornata a casa. C'è un breve silenzio prima che prosegua di un fiato. «Non so se il mio regalo le è piaciuto». Solleva le spalle. Poi mi guarda. «Sono sempre stato bravissimo a trovare regali per *te*».

Annuisco. È vero. «Già».

«Cinque aprile, giusto?».

Si ricorda la data del mio compleanno.

Mi giro e impiego più tempo del necessario a recuperare il libro di esercizi di Matematica. «Buona memoria».

Un'altra pausa imbarazzata.

«Il mio è a ottobre», insiste. Allora ha già diciassette anni. «Pensavo che magari non te lo ricordavi».

«Non ho molta memoria».

«Già. Tranquilla, va bene».

Ride. Io comincio a sentirmi un po' confusa. Quando alla fine suona la campanella, quasi svengo per il sollievo.

Alla quarta ora Solitaire colpisce di nuovo.

L'unico sito a cui i computer scolastici possono accedere al momento è quello del blog di Solitaire, che adesso mostra sullo schermo una grande foto di Jake Gyllenhaal a petto nudo, e sotto le parole che seguono:

Solitariani.
Abbiamo raggiunto quota 2000 follower. La vostra ricompensa consiste nella distruzione di tutte le lezioni di Informatica del giorno alla Higgs, *à la* Gyllenhaal. Per quelli di voi che non vanno alla Higgs, siamo certi che comunque apprezziate Gyllenhaal.
La pazienza uccide.

Gli insegnanti sono in pratica delle schegge lanciate fuori dalle aule dei PC e tutte le lezioni di Informatica vengono cancellate fino a nuovo ordine. Applaudo a Solitaire per l'impegno profuso.

Kent ha deciso di alzare il livello di guardia e non lo biasimo. All'inizio del pranzo, mi ritrovo nell'ufficio del *sixth form* per un "colloquio con lo studente", che in gergo professorale sta per "interrogatorio". Lì dentro, Kent è al computer e c'è anche la Strasser, entusiasta. Mi affloscio su una sedia. Sulla parete opposta, su un manifesto si legge "PARLARE AIUTA". Ecco qualcosa di assolutamente senza senso.

«Non ti tratterremo a lungo», dice la Strasser. «Qui sei in un ambiente protetto. Qualsiasi cosa tu dica, manterremo l'anonimato».

Kent la guarda con aria d'intesa. «Vogliamo soltanto sapere se hai sentito o visto qualcosa che ci potrebbe aiutare», chiarisce lui.

«No», rispondo, nonostante i messaggi, la violazione all'aula C13 e il raduno. «Mi spiace, niente».

So che è una bugia. E non so perché ho mentito. Sento che se raccontassi qualcosa di ciò che ho visto e sentito, verrei *coinvolta*. E a me non piace essere *coinvolta*.

«Bene», dice Kent, «continua a stare in guardia. So che non sei capoclasse, però... insomma...».

Annuisco e mi alzo per uscire.

«Tori», mi chiama Kent. Mi giro e lui mi rivolge un'occhiata, un'occhiata diversa. È solo un attimo.

«Fai attenzione», dice. «Non possiamo permettere che la situazione peggiori».

Sto navigando in un blog nella sala comune alla fine della pausa pranzo, quando il Nostro Gruppo entra e si siede a un tavolo, dritto di ritorno dalla mensa. Oggi il gruppo è composto da Becky, Lauren e Rita. Lucas non c'è e neppure Evelyn. Ho dimenticato di prepararmi il pranzo e non ho un soldo, ma a essere onesta l'idea del cibo mi fa sentire lievemente nauseata. Becky, che mi ha visto al PC, mi raggiunge. Lascio il blog per riesumare un compito di Inglese che non ho finito.

«Perché te ne stai qui per i fatti tuoi?»

«Non ho fatto il tema d'Inglese».

«Quale tema d'Inglese? Pensavo che avessimo un altro compito a casa».

«Il minitema. Sui personaggi di *Orgoglio e pregiudizio*. È per domani».

«Oh. Già, proprio non se ne parla. Ho cominciato a rendermi conto che devo vivere la vita piuttosto che fare i compiti».

Annuisco come se comprendessi. «Ben detto».

«Hai visto il mio aggiornamento su Facebook, eh?»

«Eh sì».

Sospira e si porta le mani alle guance. «Sono così, così contenta! Non ci posso credere! Lui è il ragazzo più bello che abbia mai conosciuto».

Annuisco sorridendo. «Sono tanto felice per te!», e continuo ad annuire sorridendo. Un sorriso vacuo e stupido.

«Insomma sabato, gli ho mandato un messaggio tipo tutto quello che mi hai detto alla festa lo dicevi davvero o era solo un effetto dell'alcol, e lui ha risposto tipo lo dicevo davvero, mi piaci davvero».

«Che carino!».

«E anche a me piace davvero».

«Ottimo!».

Tira fuori il cellulare e scorre lo schermo finché non lo agita ridendo. «Non ero così felice da secoli!».

Intreccio le dita sul grembo. «Sono veramente felice per te, Becky!».

«Ehehehehe, grazie».

Per qualche secondo non diciamo altro. Ci sorridiamo soltanto.

«Cosa hai fatto nel weekend?», si sente obbligata a chiedermi.

Mi passo le dita tra i capelli: una ciocca si è spostata sul lato sbagliato. «Niente. Mi conosci».

Continua a guardarmi. «Credo che potresti essere un sacco più socievole. È che, tipo, non provi. Se ci provassi, troveresti facilmente un ragazzo».

«Non ho bisogno di un ragazzo», ribatto.

Dopo un po' suona la campanella. Il tema è fatto e stampato. Tutti se ne vanno verso le loro classi, tranne me. Comincio a incamminarmi verso la mia aula ma, quando svolto a destra, Michael mi oltrepassa e vederlo mi fa venir voglia di prendere qualcosa a pugni e calci. Si ferma e mi chiede: «Dove vai?», però io esco dal cancello della scuola e continuo a camminare. Nella nostra città morente non c'è praticamente nessuno in giro, la temperatura pare artica e io ho lasciato il cappotto a scuola. Quando alla fine arrivo, a casa non c'è nessuno, così mi ficco a letto e dormo finché mamma non mi sveglia per la cena, completamente ignara del fatto che sia fuggita da scuola.

Quel pomeriggio, Charlie ha un appuntamento con il suo psichiatra in ospedale e decidiamo tutti di accompagnarlo

– mamma, papà e io –, lasciando Nick a fare il babysitter a Oliver. I miei entrano per primi, mentre Charlie e io restiamo nella sala d'attesa. È la prima volta che torno in ospedale da quando mio fratello è stato ricoverato un anno fa, e mi rendo conto che quel luogo ha ancora la stessa raccapricciante aria fiduciosa. Su una parete troneggia il dipinto di un arcobaleno e del sole con una faccina sorridente.

Il reparto per gli adolescenti ospita pazienti con ogni tipo di disturbo mentale. Al momento, nella stanza c'è, oltre a noi, una ragazza anoressica che legge *Hunger Games* e l'ironia della faccenda è talmente crudele che non c'è niente da ridere. C'è anche un altro ragazzo più piccolo, sui tredici anni, che guarda *Shrek* e ride a crepapelle e in modo inquietante per ogni battuta di Ciuchino.

Charlie non mi rivolge la parola da venerdì. D'altronde, neppure io. Dopo qualche minuto rompe il silenzio.

«Perché non ci siamo parlati?». Indossa un camicione largo a quadretti e i jeans. Gli occhi sono bui e spenti.

«Non lo so», è tutto quello che riesco a dire.

«Sei arrabbiata con me».

«Assolutamente no».

«Dovresti esserlo».

Rannicchio le gambe sul divano. «Non è che sia colpa tua».

«Allora la colpa di chi è?». Si appoggia a una mano. «Chi è il responsabile?»

«*Nessuno*», replico di scatto. «Le disgrazie accadono. Le disgrazie accadono alla gente sbagliata. Lo sai».

Mi guarda a lungo con il capo lievemente abbassato. Si tira le maniche e dunque non riesco a vedergli i polsi. «Tu che hai fatto?», domanda.

Dopo una pausa gli rispondo: «Ho passato il weekend con Michael Holden».

Inarca le sopracciglia.

«Nulla di tutto ciò».

«Non ho aperto bocca».

«Ma l'hai pensato».

«Perché sei stata con lui tutto il weekend? Adesso siete amici?». Gli brillano gli occhi. «Non pensavo che l'avresti fatto».

Mi acciglio. «Mi ha detto che sono una "psicopatica maniaco-depressiva". Non credo che lui…».

Il distributore dell'acqua fa delle bolle. Le finestre sbattono e un refolo sferraglia le tapparelle degli anni Ottanta. Charlie mi guarda.

«Che altro succede?», mi domanda. «Non parliamo per bene da secoli».

Gli faccio l'elenco: «Becky frequenta Ben Hope. Parla di lui tutto il tempo. Da sabato non scambio quasi parola con mamma e papà. Non dormo molto. E… Michael».

Mio fratello annuisce. «Un mucchio di cose».

«Lo so. Praticamente tutti i problemi del Primo Mondo».

Nel corridoio fuori dalla sala delle visite comincia a suonare il campanello delle emergenze, che indica che in qualche parte dell'edificio c'è un paziente che deve essere messo sotto controllo. Attraverso le tapparelle vedo una ragazza che corre lamentandosi, inseguita da tre grossi infermieri che la acciuffano. È piuttosto comico. Charlie non fa una piega.

«Torna indietro», dice, «Becky frequenta *Ben Hope*?»

«Già».

«Quel Ben Hope che stava al Truham?»

«Sì, lo conosci?».

La domanda sembra quasi spaventarlo. «Sì, eravamo amici. Adesso di certo non più», risponde dopo un breve silenzio.

«Okay».

«Anche domani non vado a scuola».

«Davvero?»

134

«Davvero. Mamma e papà ti stanno forzando. Stanno gonfiando la faccenda a dismisura».

Sbuffo. «Ti ho trovato in cucina coperto di sangue, scemo».

Appoggia la schiena. «Be', non sono una fantastica regina del dramma?».

«Vuoi che mercoledì prendiamo l'autobus insieme?». In genere io vado a scuola a piedi, mentre Charlie prende l'autobus. Detesto gli autobus.

La sua espressione si addolcisce in un sorriso. «Sì. Grazie». Si riposiziona sul divano in modo da stare di fronte a me. «Penso che dovresti dare un'opportunità a Michael».

Un'opportunità?

«Conosco Nick e ho detto che era strambo – ed *è* strambo – e so che pensi che sia più facile starsene per i fatti propri, ma ogni minuto che passi a pensare a quello che non fai è un altro minuto in cui dimentichi come si frequentano le altre persone».

«Io non...».

«Michael è okay. Lo ha dimostrato. Non capisco perché non riesci ad accettare cose come queste. Se non riesci ad accettare quello che non comprendi, allora passerai la vita a farti domande su tutto. Vivrai nel tuo mondo ideale».

Un'infermiera ci interrompe. È entrata nella sala per chiedere a Charlie di raggiungere mamma e papà. Mio fratello si alza ma resta fermo. Abbassa gli occhi per guardarmi.

«E non va bene?», gli chiedo.

Batte gli occhi lentamente, con lo sguardo che sfarfalla a indicare l'anoressica che legge *Hunger Games*.

«Victoria, ecco che fine faresti in un posto come questo».

Diciannove

Il giorno dopo, l'allarme antincendio parte durante la quinta ora. Mi sono appena sistemata su una sedia della sala comune, con l'iPod che suona *Fix You* dei Coldplay a ripetizione (lo so, è patetico), quando la sirena attacca il suo lamento. Adesso siamo tutti qui, nella terra desolata del campo della scuola, raggruppati in base alla lezione che avremmo dovuto avere.

Almeno da tre persone ho sentito dire qualcosa su un incendio nell'ufficio di Kent però, essendo stata per oltre cinque anni in una scuola solo femminile, ho imparato a non fidarmi delle voci che girano.

Della mia classe non conosco nessuno, quindi mi aggiro rabbrividendo. Qualche fila più in là intravedo Michael e mi sembra quasi fuori posto tra gli studenti dell'ultimo anno.

Comincio a chiedermi se lo scatto che ho avuto domenica sia il motivo per cui non mi ha chiamata o non mi ha cercata a scuola. Mi domando se vuole essermi ancora amico. Forse dovrei ascoltare Charlie. Se pensa che Michael sia okay, allora probabilmente lo è, e dovrei dargli un'opportunità. Non che abbia qualche importanza, tanto ho rifiutato comunque la sua offerta. Non è che, tipo, mi darà un'altra occasione. È okay. Va bene. Non voglio andare al raduno di Solitaire questo sabato e almeno questo l'ho scampato.

Continuo a osservarlo perché c'è qualcosa che non mi torna.

A occhi semichiusi, guarda in modo assente le pagine di un libro e ha un'espressione talmente seria che io stessa mi rabbuio. In effetti, credo quasi che stia per piangere. Non riesco a riconoscere il titolo del libro, ma è bello grosso ed è aperto quasi alla fine. E poi ha la cravatta slacciata – l'ha arrotolata intorno al collo come una sciarpa – e i capelli scompigliati. Come vorrei sapere cosa sta leggendo. I libri non mi piacciono, ma basta sapere che cosa qualcuno sta leggendo per farsi un'idea di che cosa stia pensando.

Un po' più distante, Lucas si aggira sul campo con Evelyn e un ragazzo anonimo con una voluminosa capigliatura, nel gruppetto di quelli che sono arrivati per ultimi. Anche Lucas appare triste. Ho la sensazione che siano tutti tristi. Che tutto sia triste.

Mi chiedo se Lucas in segreto sia il ragazzo di Evelyn, sarebbe possibile.

Non voglio più pensare a Lucas o a Michael. Tiro fuori il cellulare e carico il blog di Solitaire. Almeno potrò dare un'altra occhiata a Jake Gyllenhaal. È un bellissimo essere umano.

Ma c'è un altro post che supera Jake. È la foto di una mano, forse di una ragazza ma potrebbe anche essere di un ragazzo, con l'indice disteso nell'istante prima di rompere il vetro della teca che contiene il pulsante dell'allarme antincendio di una scuola. Sotto c'è scritto:

OSERÒ
TURBARE L'UNIVERSO?

Osservo la foto a lungo e comincio ad avvertire un senso di claustrofobia. La domanda, quei due versi poetici, continua a vorticarmi nella testa come se fosse rivolta a me. Finisco per chiedermi come faccio a *sapere* che quei due versi provengono da una poesia, perché non credo di aver mai dato un'occhiata a una poesia che non facesse parte di un compito scolastico. Allora mi domando se è il caso di chiederlo a Michael, perché lui probabilmente riconoscerebbe la poesia da cui sono tratti, ma poi mi ricordo che mi considera una psicopatica maniaco-depressiva. Fine della faccenda.

Venti

Rientro a casa. Succedono le solite cose. Saluto Nick e Charlie. Accendo il portatile. Metto un film. E poi faccio qualcosa di strambo.

Chiamo Michael.

16:49
Chiamata in uscita

M: Pronto.

T: Ciao. Sono Tori.

M: Tori? Davvero? Mi hai chiamato *di nuovo*? Due volte in quindici giorni. Non eri quella famosa perché odiava il telefono?

T: Credimi, non sono affatto famosa.

M: …

T: Ho reagito in modo esagerato. Sono io quella che deve chiedere scusa. Ti ho chiamato per questo.

M: …

T: …

M: Anch'io mi scuso. Non penso che tu sia una psicopatica.

T: Sul serio? Be', avresti tutto il diritto di farlo.

M: Neanche so perché abbiamo bisogno di chiederci scusa a vicenda. Non mi ricordo neppure di cosa stavamo discutendo. E nemmeno credo che stessimo *discutendo*.

T: Vuoi negare tutto?

M: E tu?

138

T: Che significa?

M: Non lo so.

T: Sono soltanto dispiaciuta di aver avuto quello scatto.

M: ...

T: Voglio esserti amica. Potremmo... potremmo...

M: Siamo già amici, Tori. Non hai bisogno di chiederlo. Siamo già amici.

T: ...

M: Charlie sta bene?

T: Sì, sta bene.

M: E tu stai bene?

T: Benone.

M: ...

T: ...

M: Ho visto che Becky e Ben stanno piuttosto incollati.

T: Oh, già, sono praticamente dei fratelli siamesi. Lei è veramente felice.

M: Tu sei felice?

T: Cosa?

M: Tu sei felice?

T: Be', sono felice per lei. Sono felice per lei. È la mia migliore amica. Sono davvero felice per lei.

M: Non ti ho chiesto questo.

T: Non ho afferrato.

M: ...

T: ...

M: Allora, ci vieni con me sabato al raduno di Solitaire?

T: ...

M: Non ci voglio andare da solo.

T: Sì.

M: Ci vieni?

T: Sì.

M: ...

T: Com'è che sento soffiare il vento? Dove *sei*?

M: Sono alla pista.

T: La pista di *pattinaggio*?

M: Conosci *altre* piste?

T: Parli al cellulare e pattini allo stesso tempo?

M: Anche gli uomini sono multitasking, sai. Tu dove sei?

T: Ovviamente a casa.

M: Che perdente.

T: Che musica hanno messo?

M: …

T: È la colonna sonora di un film, vero?

M: Quale?

T: *Il Gladiatore*. Il titolo è *Now We Are Free*.

M: …

T: …

M: La tua conoscenza dei film è semplicemente magica.

T: Magica?

M: Tu sei magica, Tori.

T: Sei tu quello che sa pattinare sul ghiaccio: è la cosa più vicina al volo che un umano possa fare senza un veicolo.

M: …

T: Tu sai volare, Michael.

M: …

T: Cosa?

M: So volare.

T: Sai volare.

M: Nessuno mai…

T: …

M: Allora è il caso che ci incontriamo a Hogwarts.

T: O sull'Isola-che-non-c'è.

M: O in tutti e due i posti.

T: O in tutti e due i posti.

Ventuno

Stare seduta accanto a Charlie sull'autobus, mercoledì mattina, mi tranquillizza. Sul mio blog si sono accumulati un sacco di messaggi non letti, ma non ho voglia di farlo. Oggi la giornata è assolata, assolatissima. Fuori dal Truham incontriamo Nick, che saluta Charlie con un rapido bacetto, poi i due cominciano a chiacchierare ridendo. Li osservo mentre entrano a scuola prima di dirigere i miei passi verso la Higgs.

Mi sento piuttosto bene adesso che Michael e io andiamo d'accordo. Non so perché ho fatto tutte quelle storie l'altro giorno. No, è una bugia. Il motivo lo conosco bene. È perché sono una scema.

Il signor Compton, quel cretino incomprensibile del mio professore di Matematica, decide che per una lezione dobbiamo lavorare in coppia con una di quelle persone accanto alle quali in genere non ci sediamo. Ecco come sono finita seduta accanto a Ben Hope alla prima ora di mercoledì. Scambiamo un paio di convenevoli e poi restiamo in silenzio mentre Compton comincia a spiegare la regola del trapezio nel modo più complicato immaginabile. Ben non ha un astuccio, porta una penna e un piccolo righello nel taschino. Si è anche dimenticato il libro di testo C2. Secondo me, potrebbe averlo fatto apposta.

Nel bel mezzo della lezione, Compton esce per fotocopiare alcuni fogli e resta via per un po'. Con mia grande costernazione, Ben decide che ha bisogno di parlarmi.

141

«Ehi», esordisce, «come sta Charlie?».

Volto lentamente il capo a sinistra. Mi sorprende però vederlo davvero interessato.

«Mmm…». Verità? Bugia? «Non troppo male».

Annuisce. «Già. Okay».

«Charlie mi ha raccontato che eravate amici o qualcosa di simile».

Sgrana gli occhi. «Ehm, già. Suppongo. Ma sai, no? Tipo, be'… tutti conoscono Charlie…».

Già, tutti conoscono la storia. Non stai lontano da scuola tre mesi senza che il motivo non sia sulla bocca di tutti.

«Immagino».

Fra noi cala di nuovo il silenzio. Il resto della classe chiacchiera e ormai la lezione è quasi finita. Che Compton sia stato divorato dalla fotocopiatrice?

D'improvviso mi scopro a parlare. A parlare per *prima*. Una cosa alquanto rara.

«Al Truham tutti vogliono bene a Charlie», dico, «non è vero?».

Ben comincia a tamburellare con la penna sul tavolo. Un bizzarro sorrisetto nervoso gli si allarga sul viso. «Be', non direi esattamente *tutti*», obietta. Mi acciglio e lui rapidamente si riprende con un: «No, dico, insomma, non è che una persona debba piacere proprio a *tutti*, giusto?».

Mi schiarisco la voce. «Suppongo di no».

«Ora non lo conosco quasi più veramente», conclude.

«Mmm, okay».

Di solito, un tipo come Charlie, una persona carina, viene dimenticato. Di solito le persone più popolari sono quelle più rumorose e divertenti, quelle che hanno la battuta pronta, che indossano i completi, fanno grandi sorrisi e sono capaci di potenti abbracci. Le persone carine sono vulnerabili perché non sanno essere meschine. Non sanno come elevarsi sopra gli altri. E penseresti che al top del Truham ci sia qualcuno come Nick: rumoroso, attraente, giocatore di rugby. Invece no. C'è Charlie.

Quello che voglio dire è che Charlie è una bella persona e, nonostante quanto ho appena spiegato, sembra che tutti gli vogliano bene. E lo ritengo un miracolo moderno.

Ventidue

Pranzo. Sala comune. Osservo il mio riflesso sullo schermo del PC spento e macchiato, e mi tengo la testa fra le mani. Non perché sia particolarmente stressata o altro, è soltanto una posizione molto comoda da seduti.

«Salve», mi saluta Lucas sorridente mentre prende posto sulla sedia accanto. Alzo gli occhi su di lui. Oggi non ha l'aria imbarazzata, un progresso colossale.

«Perché tanto allegro?», gli domando.

Fa spallucce. «Perché no?».

Roteo gli occhi fingendo sarcasmo. «Non mi piace questo atteggiamento».

Mi guarda per almeno un minuto. Tiro fuori il cellulare e scorro il feed del blog.

Allora mi dice: «Ehi, ehm, che fai sabato?»

«Ah, niente, credo».

«Tu... dovremmo fare qualcosa».

«...dovremmo?»

«Già». *Adesso* è imbarazzato. «Dico, se ti va».

«Tipo cosa?».

Scuote la testa. «Non so. Solo... andarcene in giro».

Mi obbligo a rifletterci su. Potrei provarci. Almeno una volta. Potrei provare a comportarmi come un essere umano carino.

«Oh, ehm, ho un impegno di sera. Ma di giorno sono libera».

Si illumina. «Grande! Che ti va di fare?»

«Non lo so. L'idea è stata tua».

«Oh, già… be', potresti venirmi a trovare se ti va? Tanto per vederci un film…».

«Evelyn è d'accordo?». Sì. Mi sono spinta fin qui.

«Ehm…». Quasi ride, come se scherzassi. «Che cosa?»

«Evelyn», ma la mia voce comincia a vacillare. «Non stai… tu ed Evelyn…?»

«Ehm… noi… no».

«Okay, giusto. Fico. Solo per esserne sicura».

«Ehi, ragazzi, di cosa parlate?». Becky ci richiama. Entrambi giriamo di scatto le sedie. «Sembra che stiate chiacchierando di qualcosa di interessante. Voglio un po' di gossip. *Sputate il rospo*».

Metto le gambe sul grembo di Lucas solo perché in questo momento non posso permettermi di essere riservata. «È chiaro che stiamo flirtando. Oddio Becky».

Per un attimo lei mi crede. Ed è un attimo di vero trionfo.

Più tardi, in corridoio incontro Michael. Si ferma e mi punta il dito.

«Tu», dice.

«Io», rispondo.

E rapidamente ci spostiamo nella tromba delle scale a parlare.

«Sabato sei libera?», mi chiede. Ha di nuovo una delle sue stupide tazze di tè. E se ne è versato un po' sulla camicia bianca.

Sto per rispondere di sì, invece mi ricordo: «Ehm, no. Ho detto a Lucas che avremmo fatto qualcosa insieme, mi spiace».

«Ah. Non ti preoccupare». Sorseggia il tè. «Non hai però il permesso di mollare il raduno di Solitaire».

«Oh».

«L'avevi dimenticato?»

«No. Ne parlano tutti».

145

«Immagino di sì».

Ci guardiamo.

«*Devo* venirci?», provo a dire. «Sei consapevole che non me ne frega un cazzo di Solitaire?»

«Sono consapevole», risponde, e vuol dire "sì, devi venire".

Il fragore dello sciame delle ragazzine più piccole che salgono le scale sta lentamente diminuendo. Devo andare nell'aula di Inglese.

«Comunque, sì», dice. «Sabato sera vieni da me. Quando tu e Lucas avete finito di… scambiarvi effusioni». Muove su e giù le sopracciglia.

Scuoto lentamente la testa. «Non penso di aver mai sentito qualcuno usare questa espressione nella vita vera».

«Bene, allora», conclude, «sono contento di aver reso un po' più speciale la tua giornata».

Ventitré

Quando ero più piccola, ogni giorno dopo scuola, facevo la strada a piedi per incontrarmi con Charlie fuori dal Truham. Poi, insieme, prendevamo l'autobus per tornare a casa, oppure proseguivamo ancora a piedi. Nonostante il tragitto in autobus durasse solo una decina di minuti, avevo bisogno di indossare le cuffiette dell'iPod che sparavo quasi a tutto volume. Sapevo che a vent'anni mi sarei ritrovata sorda, d'altronde, se avessi dovuto sentire quei ragazzini ogni singolo giorno, a vent'anni non ci sarei nemmeno arrivata. Forse nemmeno a diciassette.

E così, nonostante avessi boicottato l'uso dell'autobus per due lunghi anni, ho ricominciato a prenderlo di nuovo il mercoledì per fare compagnia a Charlie e al momento non posso lamentarmene. In questo modo abbiamo avuto una bella occasione per parlare di varie faccende. Non mi dispiace parlare con Charlie.

Comunque, oggi è venerdì e Michael ha deciso di tornare a casa con me. Il che è piuttosto bello, a dire la verità.

Nick mi sta aspettando davanti al Truham e ha l'aria particolarmente raffinata, con il blazer e la cravatta. La mostrina con scritto RUGBY sopra lo stemma della scuola riflette un sottile raggio di sole. Lui porta i Ray-Ban. Ci scorge mentre ci avviciniamo.

«Come butta». Nick annuisce, con le mani nelle tasche e la tracolla della borsa Adidas che gli attraversa il busto.

«Bene», rispondo.

Lui sta scrutando il mio accompagnatore. «Michael Holden», dice.

Michael tiene le mani conserte dietro la schiena. «Tu sei Nick Nelson».

Vedo che l'incertezza iniziale di Nick si stempera davanti alla reazione insolitamente normale dell'altro. «Sì, già, mi ricordo di te. Eri al Truham. Avevi una brutta fama, eh».

«Sì, già. Sono un mito».

«Fico».

Michael sorride. «*Nicholas Nelson*. Hai un nome veramente magnifico».

Nick ride, la sua classica risata calda, quasi loro due fossero amici da anni. «Lo so».

Frotte di ragazzi del Truham ci oltrepassano, inspiegabilmente di corsa, e il traffico in strada è tutto fermo. A qualche metro da noi, davanti al cancello, alcune ragazze della Higgs del 10° anno si arruffianano dei coetanei del Truham. Nel gruppo ci sono almeno tre coppie. Oddio.

Mi gratto la fronte, mi sento agitata. «Charlie dov'è?».

Nick inarca le sopracciglia e si gira verso l'istituto. «È l'unico della sua classe a cui piacciono i classici, quindi probabilmente si è impantanato in una lunga conversazione con Rogers, a proposito dei motti greci o roba del genere...».

«Toriiiiii!».

Mi giro di colpo. Becky sta schivando il traffico per raggiungermi, con i boccoli viola che le ballonzolano sulle spalle.

Al suo arrivo, annuncia: «Ben ha detto che doveva passare al Truham per prendere qualcosa dell'anno scorso, una prova d'esame o altro, quindi lo aspetto con voi, ragazzi. Non voglio stare da sola come una scema».

Sorrido. Inizia a essere molto difficile farlo con Becky nei paraggi, ma mi impegno. Nick e Michael la guardano entrambi con un'espressione vuota, per me indecifrabile.

«Ma voi che ci fate qui?»

«Stiamo aspettando Charlie», le rispondo.

«Oh, già».

«Magari entriamo dentro e lo cerchiamo», suggerisce Nick. «Sta diventando sempre più lento».

Invece nessuno si muove.

«Sembra una scena di *Aspettando Godot*», borbotta Michael. Conosco il titolo dell'opera teatrale ma non so di cosa stia parlando.

E come se la situazione potesse diventare ancora più imbarazzante, ecco apparire dal nulla Lucas.

Nick alza le braccia: «Lucas! Socio!». Si abbracciano con fare molto virile, anche se Lucas appare soltanto sciocco. Continuano con i convenevoli ma entrambi usano le parole "socio" ed "eh" troppo spesso, tanto che Michael sbotta ed esclama: «Oh mio Dio!». Per fortuna sembra che i due non lo abbiano sentito. Ridacchio in sordina.

«Ma voi che ci fate qui?», domanda Lucas, fingendo intenzionalmente di non vedere Michael.

«Aspettiamo Charlie», risponde Nick.

«Aspetto Ben», è la risposta di Becky.

«Perché non andate a cercarli? Anch'io devo entrare per riprendere la prova d'Arte».

«È quello che è venuto a fare Ben», aggiunge Becky.

A sentirle ripetere il nome di Ben, Nick la fulmina con lo sguardo. O forse l'ho soltanto immaginato.

«Bene, allora andiamo», dice e si spinge gli occhiali sul naso.

«Non possiamo», mormora Michael grondando sarcasmo, talmente sottovoce che sono l'unica a sentirlo. «*Perché no? Stiamo aspettando Charlie. Ah*». Potrebbe essere una citazione, ma non ho né letto né visto *Aspettando Godot* e quindi con me è inutile.

Nick gira sui tacchi ed entra nell'istituto. Becky lo segue a ruota. Noi le andiamo dietro.

Di colpo mi ricordo perché ho deciso di non frequentare il *sixth form* in questa scuola. I ragazzi intorno a noi sono più che estranei. Mi sento in trappola. Quando entriamo nell'edificio centrale, le luci sono fioche e intermittenti e mi torna in mente Michael di schiena che mi conduce verso la lezione di prova di Matematica per la maturità al Truham. Ogni tanto oltrepassiamo vecchi termosifoni arrugginiti e nessuno di questi pare emanare un qualche calore. Comincio ad avere i brividi.

«Oddio, assomiglia a un manicomio abbandonato, vero?», commenta Michael, alla mia sinistra. «Avevo dimenticato com'è qui. Sembra che sia stato costruito da dei poveri in canna».

Ci aggiriamo tra corridoi che paiono materializzarsi a ogni passo. Michael inizia a fischiettare. Gli studenti del Truham ci lanciano occhiate buffe, soprattutto a lui. Un ragazzo grida: «Ohi… Michael Holden… *cazzone!*», e Michael gira sui tacchi e gli rivolge un doppio pollice in su. Oltrepassiamo alcune doppie porte fino a trovarci in un ampio labirinto di armadietti, simile a quello che abbiamo alla Higgs. Dapprincipio appare deserto. Finché non sentiamo una voce.

«Che *cazzo* gli hai detto?».

Noi, tutti e cinque, ci immobilizziamo.

La voce prosegue: «Perché non ricordo di averti detto che potevi raccontare *bugie* su di me a quella ritardata di tua sorella».

Chiunque sia a rispondere, mormora qualcosa che non riusciamo a sentire. Già so di chi si tratta. E penso che anche gli altri sappiano chi sia.

Do un'occhiata al volto di Becky: era da tantissimo tempo che non le vedevo quell'espressione.

«*Non* farmi *ridere*. Scommetto che non aspettavi altro che correre a dirlo a qualcuno. Lo sanno tutti che sei solo uno stronzo in cerca d'attenzioni. Lo sanno tutti che lo fai per questo. E a tua sorella racconti balle, così che lei possa coprirmi di merda? Pensi di essere meglio degli altri perché non mangi e ora sei qui di nuovo a scuola e, anche se non mi hai rivolto neppure *uno sguardo* da quando ti sei incollato a quel rugbista gay, pensi di potermi coprire di merda anche se col cazzo che è vero».

«Non so cosa hai creduto di sentire», dice Charlie, stavolta a voce alta, «ma non ne ho parlato letteralmente con *nessuno*. Comunque, sul serio non riesco a credere che tu sia ancora *terrorizzato* che qualcuno lo scopra».

C'è uno schiocco secco e una caduta. Comincio a correre in direzione delle voci prima di comprendere cosa sto facendo e, voltando l'angolo di una fila di armadietti, vedo Charlie accasciato a terra. Ben Hope, accecato dalla rabbia, sta prendendo mio fratello a pugni in faccia, e c'è sangue; Nick placca Ben al fianco e i due rovesciano giù la fila per finire contro la parete opposta; sono inginocchiata accanto a Charlie e gli tengo le mani alte sul viso, che non oso toccare. Lui ha gli occhi socchiusi, io sto tremando e sono confusa; Nick grida: «TI UCCIDO» a ripetizione e allora Michael e Lucas lo trascinano lontano. Me ne resto così, accucciata lì con il mio fratellino, con le mani che mi tremano, desiderando di non essermi svegliata stamattina, di non essermi svegliata ieri, di non essermi mai svegliata...

«Quello stronzo se lo merita!», grida Ben affannato. «È uno stronzo bugiardo!».

«A me non ha mai detto niente!», esordisco calma. Poi lo ripeto urlando: «A ME NON HA MAI DETTO NIENTE!».

Nessuno parla. Ben ha il fiatone. Non lo trovo più attraente. Neanche un po'.

Michael si inginocchia accanto a me, lasciando che sia Lucas a occuparsi di Nick. Schiocca piano le dita vicino all'orecchio di Charlie. Mio fratello si muove e apre gli occhi.

«Sai come mi chiamo?», chiede Michael, che non è più Michael ma qualcuno del tutto diverso, qualcuno serio, qualcuno onnisciente.

Dopo un istante Charlie gracchia: «Michael Holden». Allora ride come un pazzo: «Holden... buffo...».

In Nick scatta qualcosa e con una mossa istantanea è qui a terra con noi. Prende Charlie tra le braccia. «Dobbiamo portarlo in ospedale? Ti fa male?».

Charlie solleva la mano e ondeggia l'indice di fronte a lui prima di farla ricadere. «Credo... sto bene».

«Forse ha una commozione cerebrale», insiste Nick.

«Non voglio andare in ospedale», ribatte fermo mio fratello. Gli occhi hanno recuperato concentrazione.

Mi guardo intorno. Becky sembra sparita, Ben si sforza di stare in piedi e Lucas appare incerto su cosa fare di se stesso.

Con rapidità sorprendente Charlie si alza. Si pulisce uno sbaffo di sangue. Avrà dei lividi, ma almeno il naso è rimasto dritto. Il suo sguardo è fisso su Ben, che lo guarda a sua volta. In quel momento negli occhi di Ben la vedo.

La paura.

«Non lo dirò», afferma Charlie, «perché *non* sono un cazzone come te». Ben ha un moto di derisione che mio fratello ignora. «Ma credo che dovresti almeno provare a essere franco con te stesso, anche se non ci riesci con nessun altro. È tanto triste, lo sai?»

«Sta' alla larga da me», ringhia Ben, ma la voce gli si spezza, quasi come se fosse sul punto di mettersi a piangere. «Vattene affanculo con il tuo ragazzetto, eccheccazzo».

Nick gli balzerebbe addosso una seconda volta, ma vedo nitidamente lo sforzo che fa per fermarsi.

Mentre stiamo per andare via, Ben attira la mia attenzione.

Lo fisso e la sua espressione muta dall'odio a ciò che mi auguro sia rimorso. Ne dubito. Voglio fare la fica. Tento di pensare qualcosa da dirgli, ma non mi viene in mente niente con cui riassumere ciò che penso. Spero di fargli venire voglia di morire.

Qualcuno mette la mano intorno al mio braccio e io giro il capo.

«Andiamo, Tori», dice Lucas.

Obbedisco.

Lucas mi ha messo la mano sulla schiena, mentre Nick e Michael aiutano Charlie, che barcolla ancora un po'. Mentre usciamo incrociamo Becky, la quale si è rintanata alla fine di un'altra fila di armadietti, per chissà quale ragione. I nostri sguardi si incatenano. So che con Ben romperà. Che deve rompere con Ben. Deve avere ascoltato tutto. Ed è la mia migliore amica. Charlie è mio fratello.

Non capisco quello che è accaduto.

«Dovremmo dispiacerci per Ben?», chiede qualcuno, forse Michael.

«Perché non esistono persone felici?», domanda qualcun altro, forse io.

Ventiquattro

Alle 9:04 del mattino qualcuno mi chiama al cellulare, ma sono a letto e il telefonino è troppo distante per il mio braccio; lascio che squilli. Alle 9:15, qualcuno chiama al fisso di casa e Charlie entra in camera mia, però resto con gli occhi chiusi fingendo di essere ancora addormentata e così mio fratello esce. Il letto mi sussurra di restare. Le tende impediscono al giorno di filtrare.

Alle 14:34, papà spalanca la porta, ansima e borbotta. Mi sento improvvisamente male e dopo altri cinque minuti scendo di sotto per sedermi sul divano del salotto.

Mamma entra, carica di panni da stirare.

«Ti vestirai?», domanda.

«No, mamma. Non mi vestirò mai più. Vivrò in pigiama fino alla morte».

Non aggiunge altro ed esce.

Papà entra in salotto. «Allora sei viva?!».

Non rispondo perché non mi sento viva.

Papà si siede accanto a me. «Mi vuoi dire cosa c'è che non va?».

No, non lo farò.

«Sai, se vuoi essere più felice, devi *provarci*. Ti devi sforzare. Il tuo problema è che non ci provi».

Io ci provo. Ci ho provato. Ci ho provato per sedici anni.

«Dov'è Charlie?», chiedo.

«Da Nick». Papà scuote la testa. «Ancora non riesco a credere che Charlie si sia dato in faccia la mazza da cricket. Quel ragazzo è una calamita per le disgrazie».

Non apro bocca.

«Oggi esci?»

«No».

«Perché no? Magari con Michael? Potresti trascorrere di nuovo la giornata con lui».

Non ribatto e lui mi guarda.

«Magari Becky? È da un bel po' che non la vedo qui intorno».

Resto zitta.

Con un sospiro rotea gli occhi. «*Adolescenti*», dice, come se il semplice fatto di essere un adolescente spiegasse ogni cosa.

E poi esce, sbuffando.

Sono seduta sul piumone sopra il letto, una limonata diet in una mano e il cellulare nell'altra. Trovo il numero di Michael tra i miei contatti e premo il bottone verde. Non so perché lo sto chiamando. Credo sia per colpa di papà.

La linea passa direttamente alla segreteria telefonica.

Lascio cadere il telefonino sul letto e mi infilo sotto le coperte.

Certo, non posso aspettarmi che si materializzi al mio fianco ogni volta che voglio. In fondo ha una sua vita. Ha una famiglia, dei compiti… La sua esistenza non ruota solo intorno a me.

Sono una narcisista.

Frugo tra le lenzuola e alla fine scovo il portatile. Lo apro. Se ho un qualche dubbio, il mio punto di riferimento è sempre Google. E di sicuro ho dei dubbi. Su ogni cosa.

Digito "Michael Holden" nella barra della ricerca e premo "Invio".

Michael Holden è tutt'altro che un nome inconsueto. Un mucchio di altri omonimi si fanno avanti, soprattutto nelle pagine di Myspace. Quando ha smesso di funzionare Myspace? Sono elencati anche un sacco di profili Twitter, ma non quello del mio Michael Holden. Non sembra essere il tipo da Twitter. Con un sospiro chiudo il portatile. Almeno ci ho provato.

A quel punto, come se con la chiusura del portatile lo avessi evocato, il cellulare comincia a squillare. Il nome Michael Holden scintilla sullo schermo. Con un genere di entusiasmo per me del tutto sconosciuto, premo il bottone verde.

«Pronto».

«Tori! Che succede?».

Pare che per rispondere mi occorra un tempo più lungo del necessario.

«Ehm… eh, niente».

In sottofondo si sente il basso brusio di una folla.

«Dove sei?», domando.

Stavolta è lui a metterci un po' prima di rispondere. «Oh già, non te l'ho detto, vero? Sono alla pista».

«Oh. Devi allenarti o altro?»

«Ehm, no. È, ehm… oggi ho una specie di gara».

«Una gara?»

«Già!».

«Che gara?».

Un'altra pausa. «È, be', è un tipo di… sono le semifinali del Campionato giovanile di pattinaggio di velocità».

È come se mi avessero dato un pugno allo stomaco.

«Guarda, devo andare. Ti chiamo appena finisco, promesso. E poi ci vediamo stasera!».

«…già».

«Okay, parliamo dopo!».

Chiude la telefonata. Allontano il cellulare dall'orecchio e lo osservo.

Semifinali del Campionato giovanile di pattinaggio di velocità.

E non una stupida garetta locale.

Ed è...

Ed è *importante*.

Si tratta della stessa gara a cui mi aveva invitato, ma io ho detto di no, ho detto che avrei visto *Lucas*. E poi ho deciso di evitare Lucas comunque.

Senza nessun'altra esitazione, salto giù dal letto.

Parcheggio la bici di Charlie fuori dalla pista. Sono già le 16:32 ed è buio. Probabilmente è già finito tutto. Non so perché ci ho voluto provare, però è così. Quanto dura una gara di pattinaggio?

Perché Michael non me ne ha parlato prima?

Corro, sì, proprio corro attraversando il foyer vuoto e le doppie porte che conducono allo stadio. Gruppetti di tifosi riempiono le gradinate vicine alla pista e, alla mia destra, pattinatori gasati sono seduti sulle panche. Alcuni potrebbero avere sedici anni, altri anche venticinque. Non sono brava a capire l'età dei ragazzi.

Cammino vicino al telaio plastificato della pista e ci giro intorno, finché non trovo il punto in cui è abbastanza basso da permettermi di guardare all'interno.

È in corso una gara. Per un attimo non capisco niente, perché quei costumi ridicoli, con le tute elasticizzate e gli elmetti, fanno sembrare tutti uguali. Otto tizi mi sfrecciano accanto e la folata d'aria che provocano mi scombina i capelli, che comunque prima di uscire da casa non mi ero pettinata. In curva i corridori si piegano e si avvicinano così tanto al ghiaccio da sfiorarlo con le punte delle dita. Non capisco come facciano a non cadere.

Quando mi superano la seconda volta, ecco che lo vedo. Michael gira la testa: indossa dei grandi occhialini protettivi e ha un'espressione molto concentrata, quasi ridicola. Mi vede e si volta di scatto: è evidentemente sorpreso. Di colpo mi rendo conto che qualcosa è cambiato.

Ha lo sguardo fisso. Forse rivolto a me. Il viso gli si illumina e tutto il resto pare svanire nella nebbia; appoggio una mano alla ringhiera della pista.

Non sono certa che mi abbia visto davvero. Non lo saluto. Resto ferma lì.

Esce alla testa del gruppo. La folla urla, ma poi un altro ragazzo si allontana dal gruppo per raggiungerlo, e lo sorpassa. Capisco che la gara è finita e Michael è arrivato secondo.

Mi rifugio dietro alle gradinate, mentre i pattinatori si avviano verso il cancello. Un signore grande in tuta da ginnastica si congratula con i ragazzi e uno di loro dà una pacca sulla schiena a Michael, ma c'è qualcosa di sbagliato, qualcosa di molto sbagliato, relativamente a Michael.

Quello non è "Michael Holden".

Si leva pattini e occhialini. Si toglie elmetto e guanti e li lascia cadere a terra.

Il viso gli si contorce in una sorta di ringhio, stringe il pugno tanto che gli si sbiancano le nocche e scavalca le panche come una furia fino a raggiungere una fila di armadietti. Con sguardo assente ne apre uno, il petto che si espande e si contrae in modo visibile. Furibondo, tira un pugno impazzito all'armadietto, e si lascia sfuggire un gemito che assomiglia a un tenue ululato di rabbia. Si gira e dà un calcio a una pila di caschetti, che si spargono sul pavimento. Si afferra i capelli come se volesse strapparseli.

Non l'ho mai visto in quello stato.

So che non dovrei essere tanto sorpresa. Lo conosco da sole tre settimane. Però l'impressione che ho delle persone di rado muta e, anche se succede, non è mai un cambiamento drastico. È strambo il fatto che, di una persona che sorride sempre, si presuppone che sia sempre felice. È strambo che, di una persona che con te è carina, presupponi che sia una "persona carina" con tutti. Non pensavo che Michael potesse

158

prendere qualcosa tanto sul serio. È come vedere il proprio padre che piange.

Però, quello che più mi spaventa è che sembra che nessuno in tutto questo sciame di umani lo noti.

Allora, senza essere invitata, mi dirigo verso di lui. Sono furiosa. Odio tutta questa gente perché se ne frega. Passo dopo passo li spazzo via, senza mai perdere d'occhio Michael Holden. Lo raggiungo fendendo la folla e lo osservo mentre, come un pazzo, inizia ad attaccare dei foglietti che aveva in tasca. Per qualche secondo, non so davvero come comportarmi. Ma poi mi esce di getto: «Sì, Michael Holden. Strappa quei cazzo di foglietti».

Lascia cadere tutto, gira sui tacchi e mi indica. La rabbia si trasforma in tristezza.

«Tori», dice. Non lo sento, però lo leggo dal movimento delle labbra.

Indossa una tuta elasticizzata, è piuttosto paonazzo, ha i capelli bagnati di sudore e uno sguardo furente, però è *lui*.

Nessuno dei due sa cosa dire.

«Sei arrivato secondo», gli dico alla fine, inutilmente. «Bravo».

La sua espressione passiva e triste, così bizzarra, non muta. Tira fuori gli occhiali dalla tasca e se li mette. «Non ho vinto», dice. «Non mi sono qualificato».

Distoglie lo sguardo. Credo stia un po' meglio.

«Non credevo che fossi qui», prosegue. «Pensavo di averti immaginato». S'interrompe. «È la prima volta che mi chiami Michael Holden».

Sta ancora respirando affannosamente. Sembra più grande e più alto, nella tuta di elastan. È quasi tutta rossa, con zone arancioni e nere. Quella tuta rappresenta una parte della sua vita che io non conosco: centinaia di ore sul ghiaccio, allenamenti, iscrizioni alle gare, test di resistenza, alimentazione adeguata. Non so nulla di tutto questo. *Voglio* sapere.

Apro la bocca ma la richiudo.

«Ti sei arrabbiato tanto?», chiedo.

«Sono sempre arrabbiato», risponde.

Silenzio.

«Di solito ci sono altre cose che prevalgono, ma sono sempre arrabbiato. E a volte…». Lo sguardo scivola un po' a destra. «A volte…».

La folla è in fermento e la odio sempre più.

«Cosa ne è stato di te e Lucas?», mi domanda.

Ripenso alle chiamate alle quali non ho risposto, fingendo di dormire. «Oh, già. No. Che non… no. Non mi sono sentita bene».

«Oh», commenta.

«Sai… Lucas in effetti non mi *piace*… in *quel* senso», rispondo.

«Okay».

Seguono lunghi istanti di silenzio. Nel suo volto qualcosa è cambiato. Mi sembra di scorgervi un barlume di speranza, ma non potrei esserne certa.

«Non mi criticherai, sostenendo che tanto è solo una gara di pattinaggio, vero? Non mi dirai che non significa niente?».

Ci rifletto. «No. Qualcosa significa».

Sorride. Vorrei poter dire che sembra di nuovo il solito Michael Holden, ma non è così. In quel sorriso c'è qualcosa di nuovo.

«La felicità», dice, «è il prezzo della profondità».

«Chi stai citando?», domando.

«Me stesso», risponde, facendomi l'occhiolino.

E di nuovo sono sola nella folla e avverto un sentimento bizzarro. Non è felicità. So che arrivare secondo alle qualificazioni nazionali è splendido, eppure non smetto di pensare che Michael è bravo quanto me a dire bugie.

Venticinque

Non siamo riusciti a scoprire di chi sia, ma la "terza casa a partire dal ponte sul fiume" è davvero sul fiume. L'ampio giardino digrada nell'acqua, che lo lambisce. Una vecchia barca da canottaggio è legata a un albero e non viene usata forse da secoli, e al di là del fiume si dispiega la campagna. I campi, tenebrosi nella notte, si confondono con l'orizzonte, come se loro stessi fossero incerti su dove finisce la terra e comincia il cielo.

Questo "raduno" non è un raduno. È una festa privata.

Che mi aspettavo? Sedie, degli snack, un altoparlante. Forse una presentazione in PowerPoint. La serata è fredda e c'è un po' di nevischio. Vorrei disperatamente essere nel mio letto, ho lo stomaco tutto contratto. Detesto le feste. Le ho sempre detestate e le detesterò sempre. Non ho nemmeno delle buone ragioni per farlo. Le detesto e detesto chi ci va. Non ho giustificazioni, sono soltanto ridicola.

Superiamo i fumatori e attraversiamo il portone aperto.

Sono circa le dieci. La musica è martellante. È chiaro che qui non ci vive nessuno: non ci sono mobili, a parte un paio di sdraio sistemate nel salone e sul patio del giardino, ma mi accorgo che c'è un motivo cromatico, per quanto neutro. L'unica cosa che restituisce vita alla casa è un'impressionante collezione di opere d'arte alle pareti. Non c'è niente da mangiare, ma è pieno di bottiglie e bicchierini colorati. La gente girovaga per corridoi e stanze, molti fumano sigarette, molti fumano erba, pochissimi si sono seduti.

Diverse ragazze che riconosco sono della Higgs, benché Michael non sospetti che tra questi superficiali festaioli vi siano i cervelli che stanno dietro a Solitaire. Ci sono ragazzi più grandi che non riconosco. Alcuni devono avere sui vent'anni se non di più. La cosa mi innervosisce, a dire la verità.

Non so perché sono qui. In effetti, vedo la ragazza dell'11° che alla festa di Becky era mascherata da Doctor Who. Se ne sta per i fatti suoi, come l'altra volta, con l'aria un poco smarrita. Percorre con lentezza il corridoio, senza bicchiere, osservando triste il dipinto di una via con l'acciottolato bagnato, piena di ombrelli rossi e finestre di caffetterie riscaldate. Mi domando a cosa pensi. Immagino qualcosa di simile a quello che penso io. Non si accorge di me.

Incontriamo Becky e Lauren. Dovevo immaginare che sarebbero venute, visto che non si perdono mai una festa, e dovevo anche immaginare che le avrei trovate sbronze. Becky ci indica con la mano libera, quella che non tiene la bottiglia.

«Ommioddio, sono Tori e Michael, voi due!». Strattona la sua amica per il braccio. «Lauren! Lauren! Lauren! È *Sprolden*!».

L'altra si rabbuia: «Ehi! Pensavo fossimo d'accordo su "Mori"! O "Tichael"». Sospira. «Bella, non avete dei nomi abbastanza buoni, insomma, non funzionano, non funzionano come Klaine, Romione, Destiel o Merthur...». Ridacchiano senza controllo.

Comincio a sentirmi ancora più nervosa. «Non pensavo che vi interessasse Solitaire».

Becky agita la bottiglia, alzando le spalle e ruotando gli occhi. «Ehi, una festa è una festa... che ne so... dei tizi... insomma, è la festa di *Solitaire*, e noi, ecco, ci siamo infiltrate...». Si porta il dito alla bocca. «*Sssssh*». Prende una sorsata. «Ascolta, ascolta, sai che canzone è? Noi... non riusciamo a capirlo».

«È *Smells Like Teen Spirit*. Nirvana».

«Ah, giusto, giusto, ommioddio, pensavo proprio a quella. È che, be', il testo non cita il titolo del pezzo».

Osservo Lauren che si guarda attorno, sbalordita.

«Tutto bene, Lauren?».

Torna con i piedi per terra e ride rivolgendosi a me. «Non è una festa fica?». Solleva le braccia intendendo: "Non lo so". «Fioccano tipi sexissimi e si beve gratis».

«Buon per voi», dico, la determinazione a essere una persona carina sta pian piano mollando gli ormeggi.

Fanno finta di non sentirmi e si allontanano ridendo senza motivo.

Michael e io ci facciamo un giro. Non è come nei film o nei serial per adolescenti, in cui tutto decelera e va al ralenti, con le luci lampeggianti, la gente che salta su e giù e alza le mani. Nella vita reale non succede niente di tutto ciò. La gente gironzola soltanto.

Michael parla con un mucchio di persone e a tutti domanda di Solitaire. Ci imbattiamo in Rita, che gira con un gruppo di ragazze del mio anno. Non appena mi vede mi saluta, per cui devo contraccambiare.

«Ehi», dice mentre mi avvicino a lei. «Come sta Charlie? Ho sentito parlare di una specie di rissa. Ben Hope, giusto?». In una cittadina come questa, la privacy non esiste, quindi non c'è da stupirsi se lo sanno già tutti.

«Non era una rissa», replico rapida e poi mi schiarisco la voce. «Comunque Charlie sta bene. Qualche graffio ma tutto okay».

Rita annuisce comprensiva. «Ah, bene, sono contenta che non si sia fatto troppo male».

Dopodiché, Michael e io restiamo bloccati in una cerchia dell'ultimo anno, in cucina. Michael dice di non aver mai rivolto parola a nessuno di loro.

«Insomma, nessuno sa chi l'ha organizzata», dice una ragazza, che indossa una gonna molto aderente e una vagonata di brutto rossetto rosso. «C'è chi dice che è uno spacciatore di quel condominio, o tipo, un insegnante licenziato in cerca di vendetta».

«Stai manza», la interrompe un tizio con uno snapback su cui è scritto JOCK. «Cavolo, guardati il blog, naaa. Ho sentito che la faccenda si farà seria più tardi, quando metteranno il nuovo post».

Tacciono. Abbasso lo sguardo al pavimento coperto di fogli di giornali. Un titolo dice 27 MORTI e ha accanto la foto di un edificio in fiamme.

«Perché?», domanda Michael, «perché?».

Ma il tizio fa il vago e ribatte: «Perché tu non bevi?».

Decido di comportarmi come una persona normale e di trovare qualcosa da bere. Michael sparisce per un bel pezzo, quindi raccolgo una vecchia e grande bottiglia da non so dove e mi siedo fuori da sola, sulla sdraio, sentendomi come un marito alcolizzato di mezz'età. Sono le undici passate e sono tutti sbronzi. Chiunque sia il DJ si è trasferito in giardino, e dopo un po' non è chiaro se sono sul prato di una qualsiasi cittadina o al festival di Reading. Intravedo Nick e Charlie dietro alle finestre del salone, che si baciano come fosse il loro ultimo giorno di vita sulla Terra, nonostante il volto ferito di mio fratello. Credo siano romantici. Come se fossero davvero innamorati.

Mi alzo ed entro a cercare Michael, ma qualsiasi roba ci fosse nella bottiglia era bella forte, per cui praticamente perdo tutti i sensi – tempo, spazio e realtà – e non ho idea di quello che sto facendo. Mi ritrovo di nuovo in corridoio di fronte al dipinto di una via con l'acciottolato bagnato, piena di ombrelli rossi e finestre di caffetterie riscaldate. Non posso far altro che guardarlo. Mi sforzo di girarmi e scorgo Lucas all'altro capo del corridoio. Non so se mi abbia visto o meno, ma sparisce subito in un'altra camera. Mi allontano e mi metto a gironzolare per la casa. Ombrelli rossi. Finestre di caffetterie riscaldate.

Michael spunta dal nulla e mi afferra. Mi porta via dalla stanza in cui ero – forse la cucina – e iniziamo ad attraversare la casa. Non so dove stiamo andando. Però non cerco di fermarlo. Non so perché.

Mentre camminiamo, continuo a guardare la sua mano che avvolge il mio polso. Forse perché ho bevuto quella roba, forse perché ho tanto freddo, o forse perché in qualche modo mi è *mancato* quando era lontano, comunque sia, continuo a pensare a quanto è bello sentire la sua mano intorno al mio polso. È una sensazione piacevole. Ha la mano tanto grande, paragonata alla mia, e tanto calda, e le dita si curvano intorno al polso come se fossero nate per questo, come se fossero pezzi combacianti di un mosaico. Non lo so. Di cosa parlavo?

Alla fine, quando siamo fuori in mezzo a una folla di ballerini forsennati, lui rallenta e gira sui tacchi. Mi guarda in modo strano. Do la colpa a quello che ho bevuto. Però è diverso. È così bello. I suoi capelli, è come se frusciassero nella direzione sbagliata, mentre il falò si riflette nelle sue lenti.

Credo che abbia capito che ho bevuto.

«Balli con me?», urla sopra le grida.

Inspiegabilmente comincio a tossire. Ruota gli occhi e ridacchia. Penso ai balli di fine anno e ai matrimoni e, per qualche secondo, in effetti dimentico che siamo solo in un giardino dove la terra sembra merda e tutti sono vestiti in modo pressoché uguale.

Molla il mio polso per lisciarsi i capelli e poi mi guarda per un tempo che a me appare lungo un intero anno. Mi domando cosa veda. Senza avvertire, mi prende le mani e si inginocchia ai miei piedi.

«Per favore, balla con me», dice. «So che ballare non ti pia-

165

ce, e, onestamente, neppure a me piace, e so che la notte non durerà molto e che presto tutti torneranno a casa ai loro portatili e ai loro letti vuoti, e domani probabilmente saremo soli, e lunedì dovremo andare tutti a scuola... però penso solo che se ci provi, sai, a *ballare*, sentiresti forse per qualche minuto che tutto questo, tutte queste *persone*... insomma che non è poi è così male».

Abbasso lo sguardo e incontro il suo.

Comincio a ridere prima di inginocchiarmi anch'io.

E poi faccio qualcosa di veramente strambo.

Una volta in ginocchio – non ce la faccio a trattenermi –, mi butto su di lui e gli getto le braccia al collo. «Sì», gli sussurro all'orecchio.

Lui mi cinge la vita, mi fa alzare in piedi e riprende a portarmi attraverso la distesa di adolescenti.

Raggiungiamo il centro della folla, radunata intorno al DJ. Michael mi posa le mani sulle spalle. Solo pochi centimetri separano i nostri volti. C'è un chiasso tale che deve urlare.

«*Sì*, Tori! Sono gli Smiths! Hanno messo i meravigliosi Smiths, Tori!».

Gli Smiths sono un gruppo che va forte su Internet; più precisamente, e purtroppo, un gruppo che molti ascoltano semplicemente perché Morrissey è un fico dall'aria vintage, freddo e autocritico, come tutti aspirano a essere. Se Internet fosse un paese reale, *There is a Light That Never Goes Out* sarebbe il suo inno.

Mi sento come se mi fossi allontanata di un passetto. «Hai... hai... un *blog*?».

Per un secondo è confuso, ma poi sorride e scuote la testa. «Porca miseria, Tori! Se mi piacciano gli Smiths devo per forza avere un blog? È questa la regola adesso?».

A quel punto, suppongo, decido che stanotte non m'importerà più di niente, non m'importerà dei blog, di Internet, dei film o di cosa indossa la gente, e sì, sì, starò con il mio solo e unico amico, Michael Holden, e balleremo finché non avremo più fiato e dovremo tornare a casa ad affrontare i nostri letti vuoti. Insomma, appena cominciamo a saltare su e giù, con i nostri ridicoli sorrisi, guardandoci e osservando il cielo, senza vedere altro, mentre Morrissey canta una canzone a proposito della timidezza, penso che le cose dopotutto possono non essere così male.

Ventisei

Alle 00:16 entro, perché se non faccio pipì credo che mi esploderà la vescica. Sono tutti in attesa del post sul blog di Solitaire, il quale, stando alle chiacchiere, sarà pubblicato alle 00:30. Le persone, sedute, hanno in mano il cellulare. Trovo il bagno e, quando ne esco, vedo Lucas che, da solo in un angolo, sta scrivendo un messaggio. Appena si accorge di me, sgrana gli occhi e salta in piedi, però, invece di venirmi incontro, si allontana rapidamente. Come se cercasse di evitarmi.

Lo seguo fino al salone perché vorrei scusarmi per aver dimenticato che oggi sarei dovuta uscire con lui, ma non mi vede. Lo osservo mentre si avvicina a Evelyn, che indossa orecchini a cerchio, tacchi massicci, leggings con le croci rovesciate e un cappotto di finta pelliccia. La sua chioma scompigliata è raccolta in alto sulla testa. Anche Lucas ha uno stile un po' hipster: un'ampia maglietta dei Joy Division con le maniche arrotolate, jeans iperstretti e scarponcini tipo Clarks. Lucas le dice qualcosa a cui lei risponde annuendo. Ecco qua, decido. Nonostante le parole di Lucas, stanno senza dubbio insieme.

Torno fuori. Finalmente ha cominciato a nevicare. Sul serio. La musica è cessata ma tutti saltellano qua e là urlando, nel tentativo di acchiappare con la bocca i fiocchi di neve. Guardo con attenzione la scena. I fiocchi fluttuano fino all'acqua e si dissolvono unendosi al fiume che scorre, oltrepassandomi, verso il mare. Adoro la neve. La neve rende bellissima ogni cosa.

A quel punto vedo di nuovo Becky.

È insieme a un tipo, appoggiata a un albero, e so che è ubriaca perché non si baciano in modo romantico. Sto per voltarmi, poi loro si spostano e vedo chi è il tipo in questione. Ben Hope.

Non so quanto rimango là ma, a un certo punto, lui apre gli occhi e mi vede. Becky segue il suo sguardo. Ridacchia e solo dopo *comprende*. Avevo preso qualcosa da bere mentre uscivo, ma il bicchiere è caduto sulla neve e la mia mano è rimasta sospesa per aria. I due indietreggiano finché lui non mi oltrepassa di corsa per rientrare in casa. Becky resta vicino all'albero.

Inarca le sopracciglia quando la raggiungo per dirle: «*Che cosa?!*».

Vorrei essere morta. Stringo e allento i pugni.

Lei ride: «*Che c'è?!?*».

Becky mi ha tradito. Perché non le importa. «Tutto quello che pensavo di te», le dico, «era sbagliato».

«Di che parli?».

«Ho avuto un'allucinazione?».

«Hai bevuto?».

«Sei una sporca *troia*». Mi sa che sto urlando ma non ci potrei giurare. Ne sono sicura solo al settanta per cento. «Ho sempre creduto che fossi solo sbadata, ma ora ho la prova inconfutabile che semplicemente *non ti importa*».

«Ch...».

«Non provare a far finta di non sapere cosa hai appena fatto. Mostra un po' di spina dorsale. Avanti, prova a difenderti. Sto letteralmente morendo dalla voglia di sentire le tue giustificazioni. Mi dirai che non ho capito?».

Le spuntano le lacrime agli occhi. Come se davvero fosse *sconvolta*. «Io non...».

«È questo, vero? Io sono l'amichetta ingenua con una vita tanto triste da farti sentire *migliore*. Bene, in questo ci hai azzeccato alla grande. Non avevo avuto la minima idea su nulla. Ma sai ora che cosa so? So che sei una lurida troia. Continua a piangere le tue stupide lacrime di coccodrillo, se vuoi. A te non te ne frega *un cazzo*, non è vero?».

Adesso la voce di Becky è ferma, anche se un po' debole, e comincia a inveire contro di me: «Bene... tu... sei tu la lurida troia! Santo Dio, datti una calmata!».

Taccio. Non va bene. Ho bisogno di fermarmi, ma non ci riesco: «Mi dispiace... hai una qualche idea del grado di tradimento che hai appena raggiunto? Hai una *qualche* concezione dell'amicizia? Non pensavo che si potesse essere così *egoisti*, ma *è chiaro* che mi sono sempre sbagliata». Credo di stare piangendo. «Mi hai ucciso. Mi hai letteralmente ucciso».

«*Calmati!* Santo Dio, Tori!».

«Hai dato una inequivocabile prova che tutti e tutto non sono altro che merda. Ben fatto. Medaglia d'oro. Per piacere cancellati dalla mia vita».

Sono finita. Sono finita. Immagino che siano tutti così. Sorrisi, abbracci, anni insieme, un miliardo di parole... non significano niente. A Becky non importa. A nessuno importa veramente.

La neve mi oscura la vista, o forse sono le lacrime. Torno incespicando in casa e, non appena entro, la gente comincia a urlare alzando i cellulari sopra il capo. Non sono in grado di fermare le lacrime però riesco a tirar fuori il telefonino e a trovare la pagina di Solitaire. Ecco il post:

00:30
23 gennaio

Solitariani.

Ci piacerebbe che collaboraste alla nostra prossima impresa.

Al raduno di stasera è presente uno del 12° anno della Higgs che si chiama Ben Hope, che ha consapevolmente ferito un ragazzo dell'11° del Truham. Nonostante sia un tipo piuttosto popolare, Ben Hope è omofobo e prepotente.

Ci auguriamo che vi unirete a Solitaire nel prevenire per il futuro tali atti di violenza dandogli esattamente ciò che si merita.

Agite di conseguenza. Proteggete gli indifesi. La giustizia è tutto. La pazienza uccide.

Ventisette

Intorno a me, un tornado di persone si mette a correre e gridare e io non riesco più a muovermi. Dopo diversi minuti di pandemonio, il flusso acquisisce un'unica direzione, invece che quella di un vortice, e la corrente mi trascina all'esterno. Sono tutti in giardino. Qualcuno grida: «Karma, pezzo di merda!». Il karma è questo?

Due ragazzi tengono fermo Ben Hope mentre diversi altri lo investono di calci e pugni. Il sangue schizza sulla neve e lo spettacolo si conquista applausi selvaggi. Distanti solo pochi metri, Nick e Charlie sono in piedi tra la folla, il braccio del primo intorno a mio fratello, entrambi con un'espressione indecifrabile. Charlie si fa avanti come se volesse intervenire, ma Nick lo trattiene. Si scambiano un'occhiata e poi si allontanano, districandosi dalla calca.

Non sono stata capace di prendere le difese di mio fratello e adesso Solitaire lo sta facendo al posto mio. Non sono mai riuscita a fare la mia parte, credo.

Ma in fondo, forse questa storia non riguarda Charlie. Ripenso a quanto mi ha detto Michael al Café Rivière. Oddio. Forse riguarda me.

Rido fra le lacrime che ancora mi rigano le guance, rido tanto che mi duole la pancia. Scemo. Che pensiero scemo. Che scema che sono. *Egoista.* Non mi riguarda mai niente.

Un altro colpo. La folla strilla di gioia, agitando in aria bicchieri e bottiglie, come se fosse a un concerto, come se fosse felice.

Nessuno prova a intervenire.

Nessuno

nessuno.

Non so cosa fare. Se fosse un film, ci sarei dentro, sarei l'eroina che ferma questa giustizia falsa. Però non è un film. E io non sono un'eroina.

Vengo presa dal panico. Fendo la folla e mi allontano. Ho lo sguardo velato. In città, lontane sirene iniziano a strombazzare. Un'ambulanza? La polizia? La giustizia è tutto? La pazienza uccide?

Come sbucato dal nulla, Michael mi afferra per le spalle. Non guarda me. Sta osservando la scena, proprio come il resto della folla, che assiste senza fare niente, perché non gliene importa.

Scanso le sue mani mormorando còme una pazza: «Questo è quello che siamo. Solitaire. Loro potrebbero... loro... loro lo *uccideranno*. Credi di avere conosciuto persone cattive, ma poi incontri persone anche peggiori. Non stanno facendo niente... loro non... noi siamo altrettanto cattivi. Siamo altrettanto cattivi perché non facciamo niente. Non ce ne importa nulla. Non ci importa che lo possano *uccidere*...».

«*Tori*».

Michael mi afferra di nuovo per le spalle, ma io mi allontano. «Ti porto a casa».

«Non voglio».

«Sono tuo amico, Tori. E adesso ce ne andiamo a casa».

«Non ho amici. Tu non sei amico mio. Piantala di fingere che ti *importa* di me».

Me ne vado prima che ribatta. Corro. Sono fuori dalla casa. Sono fuori dal giardino. Sono fuori dal mondo. I giganti e i demoni si stanno svegliando e io do loro la caccia. Sono piuttosto certa che finirò per vomitare. Ho avuto un'allucinazione? Io non sono un'eroina. È buffo perché è vero. Comincio a ridere o forse a piangere. Forse non mi importa più. Forse sto per svenire. Forse morirò a diciassette anni.

PARTE SECONDA

DONNIE: È in arrivo una tempesta, dice Frank, una tempesta che inghiottirà i bambini. E io li salverò dal regno della sofferenza. Li riporterò sani e salvi sulla porta di casa e respingerò i mostri giù sottoterra. Li confinerò dove nessuno possa vederli, eccetto me. Perché io sono Donnie Darko.

Donnie Darko – The Director's Cut (Film, 2004)

Uno

Lucas era un piagnone. Alle elementari lo dimostrava di frequente e credo sia stato uno dei principali motivi per cui gli ero amica. Le lacrime non mi disturbavano.

Sarebbero uscite lentamente. Qualche minuto prima avrebbe avuto quest'espressione bizzarra, non triste, come se nella sua mente stesse rivedendo un programma televisivo, come se assistesse allo svolgersi degli eventi. Avrebbe abbassato lo sguardo, ma non a terra. E allora le lacrime avrebbero cominciato a scendere. Sempre in silenzio, mai convulse.

Non penso che il pianto avesse bisogno di una ragione particolare. Credo che appartenesse alla sua personalità. Quando non piangeva, giocavamo a scacchi o ci scontravamo in duello con le spade laser, o facevamo la guerra con i Pokémon. Quando piangeva, leggevamo i libri. Era il periodo della mia vita in cui leggevo i libri.

Quando eravamo insieme, mi sentivo sempre benissimo. È buffo, un rapporto così non l'ho mai avuto con nessun altro. Be', forse con Becky. Nei primi tempi.

Alla fine delle elementari, Lucas e io ci salutammo supponendo che avremmo continuato a vederci. Come tutti quelli che si sono salutati alla fine delle elementari, le cose non sono andate così. Da allora l'ho visto soltanto una volta (prima di adesso, naturalmente). Un incontro fortuito, per strada. Avevo dodici anni. Mi disse che mi aveva mandato per posta un

175

uovo di Pasqua. Era maggio. Dopo il compleanno non avevo ricevuto più nulla via posta.

Quella sera, a casa, gli scrissi una cartolina. Dicevo che speravo potessimo essere ancora amici e gli davo il mio indirizzo e-mail, e in aggiunta disegnai un ritratto di noi due. Non spedii mai quella cartolina. È rimasta in fondo al cassetto della scrivania per svariati anni, finché non ho riordinato la stanza. Quando l'ho trovata, l'ho strappata e buttata.

Ripenso a tutte queste cose il lunedì, mentre cammino diretta a scuola. Non riesco a incontrarlo. Per tutto questo tempo mi sono solo trastullata frignando perché le cose fanno schifo, e non mi sono mai preoccupata di provare a migliorarle. E per questo mi detesto. Sono simile a tutte le persone che componevano la folla al raduno di Solitaire, che non si degnavano di intervenire. Non penso che potrò essere mai più così.

Non vedo nemmeno Michael. Probabilmente, adesso avrà deciso di lasciarmi in pace una volta per tutte, il che è abbastanza corretto. Ho di nuovo distrutto tutto. Un classico di Tori.

Comunque, voglio parlare con Lucas di sabato, per scusarmi di non averlo incontrato come avevo detto che avrei fatto. Per dirgli che non mi deve più evitare.

Un paio di volte credo di intravederlo, allampanato, aggirarsi per il corridoio ma, dopo una corsa per agguantarlo, capisco che si tratta solo di un altro ragazzo dell'ultimo biennio che gli assomiglia. Prima delle lezioni non viene nella sala comune, né all'intervallo né a pranzo. Dopo un po' mi dimentico chi sto cercando e continuo a camminare all'infinito. Controllo svariate volte il cellulare, ma sul mio blog c'è soltanto un messaggio:

Anonimo: Pensiero del giorno: Che scopo ha studiare letteratura?

Becky e il Nostro Gruppo oggi non mi hanno rivolto la parola.

Ben Hope non è finito in ospedale. Era ben lontano dal morire. Alcuni sembrano compatirlo, mentre altri dicono che se lo è meritato perché è omofobo. Io non so più cosa pensare. Quando ne ho parlato con Charlie, mi è parso piuttosto scosso.

«È colpa mia», ha detto con una smorfia. «È colpa mia prima di tutto se Ben era arrabbiato, e poi colpa se Solitaire…».

«Non è colpa di nessuno», gli ho risposto, «solo di Solitaire».

Martedì, Kent mi trattiene dopo la lezione di Inglese. Becky sembra sperare in silenzio che io mi sia cacciata in qualche guaio serio, ma il vicepreside non dice nulla finché gli altri non se ne vanno. È seduto alla cattedra, braccia conserte, occhiali storti in modo disinvolto.

«Tori, mi sa che dobbiamo parlare del tuo tema sugli "eroi di *Orgoglio e pregiudizio*"».

«…».

«È un tema molto arrabbiato».

«…».

«Perché hai deciso di scriverlo in quel modo?»

«Lo detesto davvero quel libro».

Kent si sfrega la fronte. «Sì. Mi era parso».

Tira fuori il tema da una cartella in cartoncino per porlo fra noi.

«*Mi dispiace, professor Kent*», legge, «*ma non ho letto* Orgoglio e pregiudizio. *Non mi sono trovata d'accordo già con la prima frase e per me tanto basta*». Il vicepreside mi rivolge un'occhiata veloce prima di passare al secondo paragrafo.

«*Ahimè, Elizabeth Bennet non ama Darcy poiché è "imperfetto". Soltanto quando il lato migliore del suo carattere si manifesta, lei decide che accetterà Pemberley e il centinaio di miliardi all'anno. Se lo immagina. Sembra che, per le femmine di questo romanzo, sia impossibile guardare oltre all'esteriorità per tentare di disvelare la grandezza che è negli altri. Sì, va be-*

ne, Elizabeth è prevenuta. L'ho capito. L'ho capito, Jane Austen. Ben fatto».

«Già», intervengo. «Va bene».

«Non ho finito», sogghigna Kent. Salta alla conclusione: «*Ed è il motivo per cui Darcy è, ai miei occhi, un eroe autentico. Continua a lottare, nonostante sia trattato e giudicato in modo tanto ingiusto.* Orgoglio e pregiudizio *è la lotta di un uomo che vuole farsi vedere dagli altri così come lui si vede. Perciò, non è tipico. Un eroe tipico è coraggioso, fiducioso e fascinoso. Darcy è timido, perseguitato da se stesso e incapace di combattere per il suo personaggio. Però ama, e credo che questo sia tutto ciò che importa nel mondo della letteratura*».

Dovrei esserne imbarazzata, e invece no.

Un altro sospiro. «È interessante che tu ti identifichi in un personaggio come Darcy».

«Perché?»

«Be', la maggior parte degli studenti considera Elizabeth il personaggio più forte».

Lo guardo con la massima onestà: «Darcy deve affrontare gli altri perché tutti lo odiano per motivi che non sono neppure veri, e lui non se ne lamenta mai. Direi che è abbastanza forte».

Kent sogghigna di nuovo. «Elizabeth Bennet è considerata una delle donne più forti nella letteratura del XIX secolo. Non credo che tu sia una femminista».

«Lei pensa che non sono una femminista perché comprendo di più le ragioni di un uomo in una romantica e presuntuosa commedia ottocentesca?».

Fa un ampio sorriso ma non risponde.

Alzo le spalle di nuovo. «È solo quello che penso».

Annuisce pensieroso. «Be', è corretto. Però per l'esame non scrivere in questo modo colloquiale. Sei intelligente e non andrebbe a tuo vantaggio».

«Va bene».

Mi restituisce il tema.

«Ascolta, Tori». Si gratta il mento, ma con la barba corta produce un suono fastidioso. «Ho notato che in tutte le materie d'esame hai dato risultati inferiori alle tue capacità in modo piuttosto significativo». S'interrompe e batte le palpebre. «Intendo dire che l'anno scorso stavi andando veramente molto bene. Soprattutto in Inglese».

«Nell'ultima prova di Sociologia ho avuto una B», rispondo. «Non è poi male».

«In Inglese, prendi sempre D, Tori. Chi ha preso i massimi voti al diploma non ha D nell'ultimo biennio».

«…».

«C'è un motivo per cui è successo?». Mi guarda cauto.

«Suppongo… che la scuola non mi piaccia… più».

«Come mai?»

«È solo… è solo che detesto stare qua». Mi manca la voce. Sollevo lo sguardo verso l'orologio sulla parete. «Devo andare. Ho lezione di Musica».

Annuisce molto lentamente. «Penso che molti studenti detestino stare qua». Volta la testa di lato e dà un'occhiata fuori dalla finestra. «Ma è la vita, non è vero?»

«Già».

«Se continui a fomentare il tuo fastidio, non vorrai più stare qua. Non puoi rinunciarci. Non essere disfattista».

«Già».

«Okay».

E mi fiondo fuori dalla porta.

Due

Alla fine delle lezioni trovo Lucas agli armadietti e stavolta non può più evitarmi.

È con Evelyn e il tizio con il ciuffo. Si tappano il naso perché circa un'ora fa Solitaire ha inondato la scuola di bombe puzzolenti. Classico, disgustoso e inutile. Eppure, oggi la maggior parte della gente a scuola pare che sia sostanzialmente a favore di questo scherzo in particolare. In corridoio aleggia l'odore di uova marce. Mi copro bocca e naso con il pullover.

Lucas, Evelyn e Ciuffo stanno parlando – una conversazione seria – ma, poiché di recente mi sono trasformata in una persona sgarbata e arrogante, non me ne frega un cavolo di interromperli.

«Perché mi stai evitando?», lo interpello.

Quasi fa cadere diversi quaderni ad anelli e fa capolino oltre la testa di Evelyn. Si toglie le mani dal naso. «Victoria. Oddio».

Evelyn e Ciuffo si girano per esaminarmi sospettosi prima di sgattaiolare via. Mi avvicino a Lucas. Ha la borsa appesa alla spalla.

«Sei sicuro che Evelyn non sia la tua ragazza?», domando, nascondendomi ancora parte del viso con il pullover.

«Che cosa?». Ride, nervoso. «Perché lo pensi?»

«Ti vedo sempre con lei. Sei tu il suo ragazzo segreto?».

Batte le palpebre diverse volte. «Oh, no. No».

«Stai mentendo?»

«*No*».

«Sei arrabbiato perché mi sono dimenticata che sabato ci dovevamo vedere?»

«No. No, giuro di no».

«Allora perché mi eviti? Non ti vedo da… Questa settimana non ti ho visto».

Spinge i quaderni nell'armadietto e ne estrae un consistente album da disegno. «Non ti sto evitando».

«Non mentire».

Trasalisce.

Ho capito. Dall'inizio del quadrimestre Lucas ha provato e riprovato a essere di nuovo mio amico. E io sono stata una vera imbecille. Solo perché odio fare amicizia, sono stata sgarbata con lui, l'ho ignorato, l'ho evitato e non ho mai fatto il minimo sforzo nei suoi confronti. Eccomi qui, al solito, una totale cazzona con tutti e senza un vero motivo. Ho capito. Ho capito che non mi piace *relazionarmi* con la gente. Eppure, dopo sabato, mi sono accorta che *non* relazionarsi non può essere una valida alternativa.

Adesso sembra che Lucas neppure voglia conoscermi.

«Guarda», dico lasciando cadere il pullover, mentre avverto la disperazione che penetra nella mia anima, «una volta eravamo amici del cuore, non è vero? Non voglio che mi eviti. Scusa se sabato mi sono dimenticata dell'appuntamento. Mi succede spesso di dimenticarmi cose di questo genere. Ma tu sei una delle tre persone di cui sono stata più amica e non voglio non parlarti mai più».

Si passa la mano tra i capelli. «Io… non so cosa dire».

«Solo, *per favore*, dimmi perché mi hai evitato sabato sera».

Qualcosa cambia. Il suo sguardo si sposta da una parte all'altra. «Non posso frequentarti». Poi, più calmo: «Non posso farlo».

«Cosa?».

Chiude l'anta sbattendola e il rumore è assurdamente forte. «Devo andare».

«Ma...».

Si è già allontanato. Resto accanto al suo armadietto per circa un minuto. Sembra che l'odore di uova marce si intensifichi, così come il mio odio per Solitaire. Lucas ha dimenticato di chiudere bene l'anta e non resisto: la apro per dare un'occhiata all'interno. Dentro ci sono tre quaderni ad anello – Letteratura Inglese, Psicologia e Storia – insieme a un mazzo di fogli. Ne prendo uno. È uno schema di psicologia relativo alla gestione dello stress. C'è la foto di una ragazza che si tiene la testa fra le mani, un po' come quel dipinto famoso, *L'urlo*. Si suggerisce di fare esercizio regolare e scrivere i propri problemi. Ripongo il foglio e chiudo l'armadietto di Lucas.

Tre

Sono venuti a trovarci i nonni. Per la prima volta da mesi. Siamo tutti a tavola e tento di non osservare gli altri, però continuo a notare che mamma occhieggia preoccupata prima verso il nonno e poi verso Charlie. Mio padre è seduto tra Charlie e Oliver, io sono a capotavola.

«Vostra madre ci ha raccontato che sei tornato a far parte della squadra di rugby, Charlie», dice il nonno. Quando parla, si sporge in avanti come se noi altrimenti non riuscissimo a sentirlo, nonostante abbia un volume di voce due volte più alto del nostro. Penso che sia un tratto molto tipico del nonno. «È stata una benedizione che ti abbiano ripreso. Li hai davvero messi in un bel caos, standotene fuori tutto quel tempo».

«Già, molto carino da parte loro», risponde Charlie. Tiene con le mani la forchetta e il coltello ai lati del piatto.

«Ci sembra di non aver visto Charlie da anni», dice la nonna, «non è così, Richard? La prossima volta, probabilmente avrai moglie e figli».

Charlie si costringe a ridere per educazione.

«Mi passi il parmigiano, papà?», chiede mamma.

Il nonno le passa il formaggio. «Una squadra di rugby ha sempre bisogno di un tipo smilzo come te. Per la corsa, capisci. Se quand'eri piccolo avessi mangiato di più, ora saresti grosso abbastanza da essere un giocatore vero e proprio, ma immagino che ormai sia troppo tardi. Personalmente, do la colpa ai tuoi genitori. Dovevano darti più verdure».

«Non ci hai raccontato del viaggio a Oxford, papà», interviene mia madre.

Guardo il piatto. Ci sono le lasagne. Non le ho nemmeno assaggiate.

Con discrezione tiro fuori il cellulare e trovo un messaggio. Prima ne avevo mandato uno a Lucas.

(15:23) Tori Spring
Guarda sono davvero davvero dispiaciuta

(18:53) Lucas Ryan
Va bene x

(19:06) Tori Spring
dài, è chiaro che no

(19:18)
Mi dispiace tanto

(19:22) Lucas Ryan
Cmq nn è neanche per quello x

(19:29) Tori Spring
be' allora perché mi stai evitando

Mio padre ha finito di cenare, ma io l'ho tirata per le lunghe per fare un piacere a Charlie.

«Come ti va, Tori?», chiede la nonna. «Ti diverti al *sixth form*?»

«Sì, già». Le sorrido. «È grandioso».

«Ora vi devono trattare da adulti».

«Oh, sì sì».

(19:42)
almeno devi dirmi perché

«E hai lezioni interessanti?»

«Sì, molto».

«Ci pensi all'università?».

Sorrido. «No, non proprio».

La nonna annuisce.

«Dovresti iniziare a pensare», brontola il nonno, «alle importanti decisioni che dovrai prendere. Una mossa sbagliata e potresti finire in un ufficio per il resto della tua vita. Come me».

«Come sta Becky?», domanda la nonna. «Che ragazza deliziosa. Sarebbe carino se rimaneste in contatto quando finirà la scuola».

«Sta benone, già. Sta bene».

«Che bei capelli lunghi».

(19:45) Lucas Ryan
Possiamo incontrarci in centro stasera? x

«E tu, Charlie? Stai pensando al *sixth form*? Almeno le materie?»

«Ehm, già, be', sicuramente farò i Classici e probabilmente Inglese, ma per le altre materie non so ancora. Forse Educazione Fisica o Psicologia».

«Quale scuola pensi di frequentare?»

«La Higgs, credo».

«La Higgs?»

«Harvey Greene. La scuola di Tori».

La nonna annuisce. «Capisco».

«Un istituto femminile?!», esclama il nonno. «Lì non ci sarà nessuna disciplina. Un ragazzo della tua età ha bisogno di disciplina».

La mia forchetta sbatte sul piatto e fa rumore. Il nonno mi lancia un'occhiataccia ma il suo sguardo torna su Charlie.

«A scuola ti sarai fatto delle amicizie salde. Perché le vuoi lasciare?»

«Vedrò i miei compagni fuori dalla scuola».

«Il tuo amico Nicholas, lui sta facendo il *sixth form* al Truham, giusto?»

«Già».

«E non vuoi restare con lui?».

Charlie quasi si strozza con il cibo. «Non è quello, solo ritengo che la Higgs sia una scuola migliore».

Il nonno scuote la testa. «L'istruzione. Ma che cos'è paragonata all'amicizia?».

Non ce la faccio a sentire altro e mi sto anche arrabbiando troppo, quindi come scusa annuncio un mal di stomaco. Mentre esco, il nonno commenta: «Quella ragazza è debole di stomaco. Proprio come il fratello».

Arrivo per prima. Mi siedo a un tavolo, fuori dal Café Rivière. Ci siamo messi d'accordo per le nove, e mancano ormai dieci minuti. La via è vuota e il fiume tranquillo, ma da una finestra aperta sopra il mio capo aleggia una debole eco di un gruppo indie, forse Noah and the Whale, Fleet Foxes, Foals, The XX o qualcuno di simile. La musica continua mentre aspetto Lucas.

Aspetto fino alle nove. Poi aspetto fino alle nove e un quarto. Poi aspetto fino alle nove e mezza.

Alle 22:07 il cellulare vibra.

(22:07) Lucas Ryan
Scusa x

Guardo a lungo il messaggio: quell'unica parola non seguita dal punto; quella piccola x insignificante.

Poso il telefonino sul tavolo e sollevo lo sguardo verso il cielo. Quando nevica, è sempre più luminoso. Espiro e il mio fiato, condensato come quello di un drago, veleggia sopra la mia testa.

Infine mi alzo e comincio a camminare verso casa.

186

Quattro

All'assemblea del mercoledì, quelli del *sixth form* si distribuiscono per le cinque file della sala. Occorre infilarsi in ogni posto libero altrimenti non ci si entra tutti, quindi non puoi scegliere dove sederti. Ecco perché sono accidentalmente finita tra Rita e Becky.

Mentre le persone riempiono le file, Ben Hope, rientrato a scuola con il volto abbastanza coperto di lividi, guarda dritto verso di me. Non appare né arrabbiato né spaventato, e neppure cerca di ignorarmi. Sembra soltanto triste. Come se stesse per piangere. Probabilmente è perché non sarà mai più un personaggio popolare. Non ho più visto insieme lui e Becky, e potrebbe essere un segno che forse Becky ha riflettuto sul mio scoppio d'ira. Penso a Charlie. Mi chiedo dove sia Michael. Vorrei che Ben non esistesse.

Kent prende la parola. Parla delle donne. Che qui sono la maggioranza.

«…ma vi dirò assolutamente la verità. Voi, in quanto donne, vi trovate nel mondo automaticamente in svantaggio».

Alla mia destra, Becky inizia ad accavallare le gambe. Faccio uno sforzo per restare immobile.

«Non penso… che molte di voi si rendano conto di quanto siano state fortunate finora».

Comincio a contare i silenzi di Kent sottovoce. Becky non si unisce al gioco.

«Andare al… al *migliore*… liceo femminile della contea… è un privilegio eccezionale».

Due file davanti a me vedo Lucas. All'entrata, è riuscito ad attirare la mia attenzione mentre si sedeva e non mi sono preoccupata di distogliere lo sguardo. L'ho fissato. Davvero non sono arrabbiata per la buca che mi ha dato l'altra sera. Non provo niente.

«So che molte di voi… si lamentano del troppo studio, ma finché non affronterete il mondo reale, il mondo del lavoro, non potete comprendere… che cosa significa sgobbare».

D'improvviso Rita batte sul mio ginocchio. Mi mostra il foglio con l'inno. Sotto i versi di *Love Shine a Light*, ha scritto: "Ti stai isolando!!!!!!".

«Affronterete un trauma incredibile, una volta fuori da questa scuola. Questa scuola, dove *tutti* vengono trattati in modo uguale».

Leggo e rileggo, poi osservo Rita. Lei è solo una tizia che conosco. Non siamo veramente amiche.

«Dovrete lavorare più sodo degli uomini… per arrivare dove vorrete. *Ecco* la cruda verità».

Rita fa spallucce.

«Perciò spero che, mentre siete in questa scuola, penserete a quanto avete con gratitudine. Siete tutte molto fortunate. Avete la possibilità di fare quello che vorrete e di essere chi vorrete essere».

Trasformo il foglio dell'inno in un aeroplanino, ma senza farlo volare, perché durante l'assemblea è vietato. Ci alziamo per cantare *Love Shine a Light* e il testo mi fa quasi venire da ridere. Uscendo, con discrezione infilo l'aeroplanino di carta nella tasca del blazer di Becky.

A pranzo non mi siedo accanto a nessuno. Finisco per non mangiare nulla, in effetti, ma non mi interessa. Passeggio. Durante la mattina, mi sono chiesta diverse volte dove potesse essere Michael, eppure in altri momenti sono alquanto sicura che non mi importi.

Questa settimana non l'ho mai visto.

Ho ripensato tanto alla sua gara di pattinaggio, alle semifinali giovanili nazionali.

Mi domando perché non me ne abbia parlato.

Mi domando perché non sia qui.

Siedo dando le spalle al campo da tennis, circondato da gabbiani, cosa stramba visto che in questa stagione dovrebbero essere già emigrati. Quinta ora: Musica. È quella che di solito salto perché prevede gli esercizi pratici. Osservo le primine che escono dall'edificio principale e attraversano il campo, alcune correndo, la maggior parte ridendo; tutte hanno in mano degli sparacoriandoli. Non vedo insegnanti con loro.

Non so cosa abbia detto Solitaire a quelle del 7°, ma è evidente che stanno tramando qualcosa.

Mi connetto a Google con il cellulare. Scrivo "Michael Holden" e aggiungo il nome della nostra città. Poi premo "Invio".

Come per magia, il mio Michael Holden compare nei risultati della ricerca.

Il primo è un articolo del giornale della contea, intitolato *Atleta locale vince il Campionato nazionale di pattinaggio di velocità*. Clicco. A caricare ci mette un po'. Ho le ginocchia che tremano per la trepidazione. A volte odio Internet.

L'articolo è di circa tre anni fa. Abbinata c'è una foto che ritrae un Michael quindicenne, anche se non sembra molto diverso da com'è adesso. Forse i lineamenti sono un po' meno marcati. Forse i capelli sono un po' più lunghi. Forse non è così alto. Nella fotografia è su un podio con un trofeo e un mazzo di fiori. Sorride.

Il giovane Michael Holden ha conquistato la vittoria sui pattini al Campionato nazionale Under 16 di pattinaggio di velocità.

Holden è già stato campione regionale nelle categorie Under 12 e Under 14, e a livello nazionale nella categoria degli Under 14.

Il presidente della Federazione britannica di pattinaggio di velocità,

John Lincoln, ha apertamente detto, in risposta alla straordinaria serie di vittorie di Holden, che: "Abbiamo trovato un atleta che in futuro potrà competere a livello internazionale. Holden mostra, in modo evidente, la dedizione, l'esperienza, lo scatto e il talento in grado di portare la Gran Bretagna alla vittoria in uno sport che non ha mai ricevuto una sufficiente attenzione in questo paese".

Torno all'elenco dei risultati di ricerca. Ci sono molti articoli di argomento similare. L'anno scorso Michael ha vinto il Campionato Under 18.

Immagino sia per questo che era furioso di essere arrivato secondo alle semifinali. Lo credo bene. Nei suoi panni mi sarei arrabbiata anch'io.

Per un po' resto seduta, a guardare Google. Mi chiedo se sono attratta dalla sua celebrità, ma non credo sia questo. È che mi sembra soltanto impossibile che Michael abbia una vita tanto spettacolare della quale ero all'oscuro. Una vita nella quale lui non gira semplicemente con un sorriso stampato in volto facendo cose che non hanno uno scopo preciso.

È tanto facile presupporre di sapere tutto di una persona.

Spengo il cellulare e appoggio la schiena alla rete di metallo.

Le primine adesso si sono radunate. Dalla scuola esce correndo un'insegnante, ma è troppo tardi per fermarle. Il gruppo grida un conto alla rovescia che parte da dieci, poi spara in aria i coriandoli e le stelle filanti vengono liberate: mi sembra quasi di ritrovarmi in un campo di battaglia durante la seconda guerra mondiale. Loro urlano e saltano, mentre le stelle filanti scendono a spirale nell'aria come un folle uragano arcobaleno. Cominciano a uscire altre insegnanti, anche loro gridano. Mi ritrovo a sorridere, poi a ridere, e avverto una repentina delusione verso me stessa. Non dovrei trovare divertente qualcosa che ha organizzato Solitaire, eppure si tratta della prima volta in vita mia che ho un sentimento positivo nei confronti del 7° anno.

Cinque

Sono in autobus, diretta verso casa, quando Michael decide finalmente di fare la sua comparsa. Sono seduta nella seconda fila di sinistra dal fondo del piano di entrata e ascolto Elvis Costello da maledetta hipster quale sono, quando lui si avvicina al mio finestrino sulla sua antiquata bicicletta, pedalando alla stessa velocità dell'autobus. Nonostante il vetro sia tutto sporco e la neve abbia creato una patina di ghiaccio, riesco ancora a vedere il profilo del suo volto compiaciuto, sorridente, come un cane che sporge il capo da una macchina.

Si gira per cercarmi oltre i finestrini e alla fine si accorge che sono proprio direttamente accanto a lui. Con i capelli al vento, il cappotto gonfio come un mantello, mi saluta frenetico e poi batte la mano sul vetro tanto forte che tutti si voltano a guardarmi. Sollevo la mano per salutare, sentendomi piuttosto fica.

Tiene il passo finché non scendo, una decina di minuti dopo; ormai ha ripreso a nevicare. Dico a Nick e Charlie di continuare senza di me. Una volta da soli, ci sediamo sul muretto di un giardino, a cui Michael appoggia la bici. Mi accorgo che non indossa l'uniforme scolastica.

Mi giro verso di lui. Non mi guarda. Aspetto che cominci a parlare, ma non lo fa. Credo che mi stia mettendo alla prova.

C'è voluto più tempo del dovuto perché mi rendessi conto che voglio stargli accanto.

«Io…», esordisco forzandomi a trovare le parole, «…ti chiedo scusa».

Batte le palpebre come fosse confuso, si gira verso di me e sorride dolcemente. «È okay», risponde.

Annuisco e distolgo lo sguardo.

«L'abbiamo già fatto, no?», dice.

«Fatto cosa?»

«Questa cosa impacciata di scusarci».

Ripenso a quando mi ha definito una "psicopatica maniaco-depressiva". Però non è la stessa cosa. In quel caso io mi ero comportata da stupida e lui si era arrabbiato. Allora non lo conoscevo affatto.

Michael ha ancora quella scintilla. Quella luce. Ma adesso c'è qualcosa di più. Qualcosa che non si riesce a vedere, ma soltanto a cogliere.

«Dove sei stato?», chiedo.

Distoglie lo sguardo e ridacchia. «Sono stato *sospeso*: lunedì pomeriggio, ieri e oggi».

È così ridicolo che scoppio a ridere. «Sei finalmente riuscito a far venire un esaurimento nervoso a qualcuno?».

Ridacchia di nuovo, ma in modo strambo. «Potrebbe probabilmente accadere, a essere onesti». Cambia espressione. «No, be', io… ehm… Ho detto delle parolacce a Kent».

Sbuffo. «*Parolacce?* Sei stato sospeso perché hai detto delle parolacce?»

«Già». Si gratta la testa. «È saltato fuori che la Higgs ha una qualche normativa al riguardo».

«La Terra dell'Oppressione», annuisco citando Becky. «Ma come è successo?»

«È iniziato, insomma, a Storia, credo. Un paio di settimane fa c'è stata una prova e lunedì abbiamo avuto i risultati. La professoressa mi ha trattenuto dopo la lezione perché, come immaginavo, ho fatto un esame disastroso. Penso che l'insufficienza sia stata meritatissima. Così lei ha cominciato ad andarci giù dura, sai, delirando su che delusione fossi e sul fatto che nemmeno ci *provo*. Allora ho cominciato a irritarmi un poco perché, insomma, non era vero. Ma lei continuava e continuava e mi mostrava il compito additandolo e dicendo: "Ma che diavolo hai scritto? Non c'è niente qui che abbia senso. Dove sono l'introduzione, lo sviluppo e le conclusioni?". In pratica, è finita che mi ha portato all'ufficio di Kent come se fossimo alle elementari».

S'interrompe e non mi guarda.

«E Kent attacca il pippone sul fatto che non m'impegno abbastanza. Ho provato a difendermi, ma sai com'è Kent: appena ho cercato di ragionare con lui, ha assunto un comportamento aggressivo e paternalista, il che mi ha fatto ancora *più* arrabbiare perché, sai, di fronte agli studenti i professori proprio *non riescono* ad ammettere che *possono* essersi sbagliati, e poi, insomma, non intenzionalmente, ma gli ho detto tipo: "Però non ve ne frega un cazzo, eh?". Ecco. Sono stato sospeso».

Questo mi ricorda di quando Nick raccontava di Michael il primo giorno del quadrimestre. Però, invece di trovare un po' strana questa storia, in effetti mi sento piuttosto colpita. «Un vero ribelle», commento.

Mi rivolge una lunga occhiata. «Sì», dice, «sono terribile».

«Ai professori, però, davvero *non* gliene frega».

«Già. L'avrei dovuto sapere che era così».

Entrambi torniamo a guardare le case di fronte. Il tramonto dipinge di arancio le finestre. Striscio le scarpe sul terreno innevato. Vorrei chiedergli del pattinaggio però, al contempo, sento che è una cosa *sua*. Una cosa speciale, intima.

«Senza di te mi sono annoiata parecchio», dico.

Segue un lungo silenzio.

«Anch'io», replica Michael.

«Hai sentito quello che hanno combinato oggi le ragazze del 7°?»

«Già... esilarante».

«Ero lì. Alla quinta ora del mercoledì mi siedo sempre lì. Era come... piovevano stelle filanti o roba così».

Pare che sia immobile. Dopo qualche secondo, gira lentamente il capo verso di me.

«Be', una coincidenza fortunata», dice.

Ci metto un minuto a capire cosa intende.

È ridicolo. Solitaire avrebbe modo di sapere che salto quella lezione e mi vado a sedere al campo. La maggior parte delle volte i professori non se ne accorgono. È *ridicolo*. Ma comincio a ripensare a quanto aveva detto Michael prima. A proposito di *Guerre stellari*. *Material Girl*. I gatti. Il violino. E l'attacco a Ben Hope, che riguardava mio fratello. Ma è impossibile. Non sono speciale. È del tutto impossibile. Però... Ci sono state *un mucchio* di coincidenze.

«Sì», rispondo, «una bella coincidenza».

Ci alziamo insieme e iniziamo a percorrere il sentiero che via via s'imbianca, mentre lui spinge la bici. Dietro di noi lascia una lunga linea grigia. Piccoli fiocchi di neve gli si impigliano tra i capelli.

«E ora?», domando, incerta su quale "ora" intendo: questo minuto? Oggi? Il resto delle nostre vite?

«Ora?». Michael sta riflettendo sulla mia domanda. «Ora festeggiamo e ci rallegriamo della nostra gioventù. Non è quello che si aspettano da noi?».

Involontariamente sorrido. «Sì. Sì, è quello che si aspettano da noi».

Camminiamo ancora un po'. I fiocchi diventano grandi quanto monete da cinque penny.

«Ho sentito di quello che hai detto a Becky», riprende.

«Chi te lo ha detto?»

«Charlie».

«Chi l'ha detto a *Charlie*?».

Scuote la testa. «Non lo so».

«Quando hai parlato con lui?».

Evita il mio sguardo. «L'altro giorno. Volevo solo essere sicuro che stessi bene…».

«Pensavi che fossi *depressa* o altro?». Ma ho usato un tono troppo astioso.

Non desidero che le persone si preoccupino per me. Non c'è niente *di cui* preoccuparsi. Non desidero che le persone provino a capire perché sono come sono, perché devo prima capirlo *io*. E ancora *non* l'ho capito. Non desidero che le persone interferiscano. Non voglio che le persone si insinuino nella mia testa. Se è quello che fanno gli amici, non ne voglio.

Sorride. Un vero sorriso. Poi ride. «Proprio non accetti che agli altri importi qualcosa di te!».

Non rispondo. Ha ragione. Però non rispondo.

Smette di ridere. Trascorriamo diversi minuti in silenzio.

Inizio a pensare a quattro settimane fa, quando non conoscevo Michael. Quando Solitaire non si era palesato. Mi rendo conto che adesso mi sento più triste. Sono successe un sacco di cose tristi e mi sembra di essere l'unica in grado di rendersene conto. Per esempio, Becky. Lucas. Ben Hope. Solitaire. Tutti d'accordo quando si tratta di ferire qualcuno. O forse non capiscono che stanno ferendo qualcuno. Però io sì.

Il problema è che le persone non agiscono.

Il problema è che *io* non agisco. Me ne resto seduta senza fare niente, presupponendo che qualcun altro migliori la situazione.

Camminando, Michael e io ci ritroviamo al margine dell'abitato. Sta calando il buio e al nostro passaggio più di un lampione balugina diffondendo un alone giallo sul terreno. Entriamo in un vicolo tra due grandi case e sbuchiamo nei campi, sdrucciolevoli per la neve, che si estendono tra le abitazioni e il fiume. È tutto avvolto dalla nebbia appannata, come pioggia sul parabrezza, come un dipinto.

Mi fermo. Ogni cosa sembra fermarsi, come se avessi abbandonato il pianeta. Come se avessi abbandonato l'universo.

«È bellissimo», dico. «Non trovi bellissima la neve?».

Mi aspetto che sia d'accordo con me, invece non è così.

«Non so», risponde. «Fa freddo. È romantico, credo, ma rende le cose fredde».

Sei

«Dunque, Tori». Kent esamina con lo sguardo il mio compito successivo. «Stavolta qual è la tua opinione?».

È l'ora di pranzo di venerdì. Non avevo proprio altro da fare e così sono andata a consegnare in anticipo: *Il matrimonio costituisce il tema centrale di* Orgoglio e pregiudizio*?* Pare che oggi Kent sia in vena di chiacchiere, cosa che non mi fa piacere per niente.

«Ho scritto un componimento normale».

«Lo immaginavo», annuisce. «Desidero ancora conoscere il tuo pensiero».

Provo a ripensare a quando l'ho scritto. Lunedì a pranzo? Martedì? I giorni si sono fusi tutti in uno solo.

«Ritieni che il tema centrale del romanzo sia il matrimonio?»

«È *un* tema. Non quello *centrale*».

«Pensi che a Elizabeth importi del matrimonio?».

Penso al film. «Credo di sì. Ma quando è con Darcy smette di preoccuparsene. Insomma, non riesce a metterlo in relazione con Darcy. Lui e il matrimonio. Sono due problemi separati».

«Allora quale indicheresti come tema centrale di *Orgoglio e pregiudizio*?»

«L'individualità». Infilo le mani nelle tasche del blazer. «Tutti i personaggi non fanno altro che cercare di trovare un compromesso tra chi sono davvero e il modo in cui gli altri li vedono».

Kent annuisce ancora come se sapesse qualcosa che ignoro. «È interessante. La maggior parte delle persone sostiene che

197

l'argomento principale sia l'amore. O il sistema delle classi».
Infila il mio compito in una cartellina. «A casa leggi molti libri, Tori?»

«Io non leggo».

Questo pare sorprenderlo. «Eppure hai deciso di affrontare alla maturità l'esame di Letteratura Inglese».

Faccio spallucce.

«Per divertirti cosa fai, Tori?»

«Divertirmi?»

«Di certo hai un hobby, tutti ne hanno uno. Per esempio, io ho la lettura».

I miei hobby sono bere limonata diet ed essere un'emerita testa di cazzo. «Un tempo suonavo il violino».

«Ah, vedi? Un hobby».

Le implicazioni del termine "hobby" non mi piacciono. Mi fa pensare all'artigianato. O al golf. Qualcosa che fa la gente allegra.

«Però ci ho rinunciato».

«Perché?»

«Non lo so. Non mi divertiva tanto».

Kent annuisce per la centesima volta, battendosi la mano sul ginocchio. «È giusto. *Cosa* ti diverte?»

«Mi piace vedere i film, credo».

«E gli amici? Ti piace stare con gli amici?».

Ci penso su. Con loro dovrei divertirmi. È quello che fanno le persone. Vedono gli amici per divertirsi. Hanno avventure, viaggiano e si innamorano. Litigano e si perdono, ma alla fine si ritrovano sempre. Ecco cosa fa la gente.

«Chi considereresti amico?».

Di nuovo mi prendo del tempo per pensarci e compongo mentalmente una lista:

1. Michael Holden: il candidato più qualificato.
2. Becky Allen: in passato la migliore amica, ma ora non più, è ovvio.

198

3. Lucas Ryan: vedi sopra.

E prima chi altro mi era amico? Davvero non riesco a ricordare.

«Le cose sono di certo più facili se hai pochi amici». Kent sospira, con le braccia di nuovo conserte sulla giacca di tweed. «Però l'amicizia ha un mucchio di vantaggi».

Mi domando di cosa parli. «Davvero gli amici sono così importanti?».

Unisce le mani. «Pensa a tutti i film che hai visto. La maggioranza dei personaggi positivi ha degli amici, no? Spesso si tratta di uno o due amici strettissimi. Guarda Darcy e Bingley. Jane ed Elizabeth. Frodo e Sam. Harry, Ron e Hermione. Gli amici sono importanti. Di solito gli antagonisti sono persone sole. Come Voldemort».

«Perfino Voldemort ha dei follower», ribatto, ma il termine "follower" mi fa ripensare al mio blog.

«Follower, sì. Amici? Veri amici? Assolutamente no. Non si può sempre fare solo affidamento su se stessi, anche se sembra il modo più facile di vivere».

Non sono d'accordo per cui preferisco tacere.

Kent si sporge. «Su, Tori. Svegliati. Sei una persona migliore di quel che appari».

«Perché, come appaio? Mi dispiace che i miei voti non siano stati buoni».

«Non essere ottusa. Lo sai che non si tratta di questo».

Mi acciglio. Per tutta risposta, anche lui si acciglia, ma in modo ironico. «Riprendi il controllo. È tempo di alzarsi in piedi. Non puoi continuare a lasciar andare le occasioni».

Mi alzo dalla sedia e mi giro, pronta a uscire dalla sua stanza.

Non appena apro la porta, lui borbotta: «Nulla cambierà finché non deciderai che vuoi che cambi».

Chiudo la porta dietro di me, chiedendomi se tutta questa conversazione non sia stata frutto della mia immaginazione.

Sette

L'ultima ora è libera per cui mi siedo nella sala comune. Continuo a guardare Becky che sta facendo i compiti seduta da un'altra parte, ma lei non ricambia lo sguardo. Anche Evelyn è là. Trascorre tutta l'ora al cellulare.

Controllo il mio blog e trovo un messaggio:

Anonimo: Pensiero del giorno: Perché la gente crede in Dio?

Controllo il blog di Solitaire e il post iniziale ora è una gif di un bambino che fa le bolle da uno di quei tubetti di plastica. Una raffica di bolle esplode in aria fino in cielo e l'obiettivo le segue mentre i raggi di sole le attraversano, illuminandole di rosa, arancio, verde e blu. Poi la gif si ripete e si vede di nuovo il bimbo che fa le bolle verso il cielo, il bambino, le bolle, il cielo, il bambino, le bolle, il cielo.

Quando rientro a casa, perfino mia madre si accorge che è successo qualcosa e tenta svogliatamente di tirarmi fuori cosa, ma taglio corto e salgo in camera mia. Cammino in cerchio per un po' e infine mi distendo. Charlie mi raggiunge per chiedermi cosa c'è che non va. Proprio mentre sto per dirglielo, scoppio a piangere e stavolta non con lacrime silenziose bensì con veri singulti; mi detesto talmente tanto che affogo la faccia tra le braccia e piango così forte da non riuscire più a respirare normalmente.

«Devo fare qualcosa», continuo a ripetere, «devo fare qualcosa».

«Fare qualcosa per che cosa?», domanda Charlie, abbracciandosi le ginocchia.

«Solo... non lo so... tutti... stanno tutti impazzendo. Ho rovinato il rapporto che avevo con Becky e continuo a fare lo stesso con Michael, e nemmeno so chi è Lucas, chi è realmente. Prima la mia vita era tanto normale. Una volta odiavo annoiarmi, ma non è più così. Prima non mi importava di niente. Ma poi... sabato... tutta quella gente, insomma, a nessuno gliene fregava *un cazzo*. Non gli importava che Ben Hope potesse morire per i calci che stava incassando. Lo so che non è successo. Però, ecco, io non... io *non posso* essere più così, mai più. Lo so che non ha senso. Lo so che probabilmente mi sto stressando per niente. Lo so, sono una merda, come essere umano sono un ridicolo insulto. Ma prima di Solitaire, tutto andava bene. Io stavo bene, una volta stavo bene».

Charlie annuisce soltanto. «Tranquilla».

Siede accanto a me mentre deliro piangendo. Quando mi calmo fingo di aver bisogno di riposare, così lui se ne va. Giaccio a occhi aperti a pensare a tutto quello che è successo nella mia intera vita e non ci metto molto ad arrivare al punto in cui sono adesso. Decido che di dormire non se ne parla, e allora comincio a perlustrare la mia stanza pur senza cercare qualcosa in particolare. Nel cassetto della scrivania trovo la scatola delle cose speciali – una scatola di ricordini – e la prima che emerge è il diario che ho scritto nell'estate del 7° anno. Ne leggo la prima pagina:

24 agosto, domenica

Sveglia all'alba delle 10:30. Becky *et moi* siamo andate al cinema oggi a vedere I *Pirati dei Carraibi* (è così che si scrive???) 2 e cavolo era fichissimo. Becky pensa che Orlando Bloom sia sexissimo ma a me piace più Johnny Depp. È divertente e intelligente. Poi siamo andate per una pizza nella strada dei negozi, lei si è presa una hawaiana ma ovvio che la mia era al formaggio. Gnam! La prossima settimana verrà a trovarmi per dormire da me, e sarà divertentissimo. Dice che deve assolutamente raccontarmi di un ragazzo che le piace!! E mangeremo tanta roba e staremo tutta la notte sveglie a guardare film!!!!!

Infilo il diario in fondo al cassetto e me ne resto seduta per qualche minuto. Poi lo ritiro fuori, rimedio un paio di forbici e comincio a tagliuzzarlo, riducendo in pezzi le pagine e la copertina rigida, squarciando e strappando, finché non mi ritrovo in grembo un mucchio di trucioli che paiono confetti.

Nella cassa del tesoro c'è anche un tubetto per le bolle vuoto. Becky me lo aveva regalato per un compleanno di tanto tempo fa, quando adoravo le bolle di sapone nonostante non riuscissi mai a dimenticare il fatto che al loro interno sono sempre vuote. A questo punto mi torna alla mente la gif sul blog di Solitaire. Dunque, c'è un'altra cosa. Un'altra da aggiungere all'elenco: il video del violino e *Guerre stellari*, tutte quelle stronzate. Guardo il tubetto delle bolle e non provo nulla. O provo tutto. Non lo so.

No. Lo *so*.

Aveva ragione Michael. Ha sempre avuto ragione. Solitaire. Solitaire... Solitaire mi sta parlando. Michael aveva *ragione*.

Non ha alcun senso ma so che mi riguarda.

Corro in bagno a vomitare.

Quando torno, butto la scatola da una parte, chiudo il cassetto e ne apro un altro. Questo è pieno di cancelleria. Provo tutte le penne scarabocchiando frenetica sui pezzi di carta e getto quelle che non funzionano, la maggioranza, sotto il letto. Canticchio a bocca chiusa per coprire i rumori che sento dalla finestra, perché so che me li sto inventando. Gli occhi mi si bagnano di lacrime, poi smetto di piangere ma alla fine ricomincio, e continuo a strofinarmeli tanto forte da vedere le scintille quando li tengo aperti.

Afferro di nuovo le forbici e trascorro almeno una mezz'ora seduta allo specchio spuntandomi le doppie punte come un'ossessa. Poi scovo un grande pennarello nero e mi viene l'impeto repentino di scrivere qualcosa. Così, sul mio braccio, con il pennarellone nero, scrivo "IO SONO VICTORIA ANNABEL SPRING", in parte perché non riesco a pensare a nient'altro da scrivere, in parte perché sento che ho bisogno di ricordare a me stessa che ho anche un secondo nome.

Solitaire parla con me. Forse lo fa apposta, forse no. Ma ho deciso che dipende da me, adesso, fare qualcosa. Dipende tutto da me.

Vado al mio comodino. Tiro fuori poche vecchie penne e qualche libro che non ho letto, le salviette struccanti e il mio diario attuale, che non scrivo più. Lo apro, leggo qualche riga e lo richiudo. È molto triste. Adolescenziale e banale. Ho nausea di me stessa. Chiudo gli occhi e trattengo il fiato quanto posso (quarantacinque secondi). Piango, senza sosta, per ben ventitré minuti. Apro il portatile e scorro i miei blog preferiti. Sul mio non posto niente. Neppure ricordo l'ultima volta in cui l'ho fatto.

Otto

È stato un fine settimana strambo. Non sapendo bene cosa fare, ne ho trascorso la maggior parte a letto, navigando su Internet, guardando la televisione eccetera. Domenica, Nick e Charlie sono passati dopo pranzo per "chiacchierare" e mi hanno fatto sentire piuttosto male perché sono una pigrona sciatta. Dunque il weekend si conclude con loro che mi trascinano al festival musicale locale al Clay, un campo senza erba dopo il ponte sul fiume, bordato da alcuni alberi e qualche pezzo di recinzione.

Nick e Charlie e io attraversiamo il terreno melmoso diretti alla folla che circonda il palco. Ancora non nevica, ma presto accadrà. Chiunque abbia deciso che gennaio è un buon mese per i concerti all'aperto dev'essere probabilmente un sadico.

Il gruppo, una qualche band indie di Londra, è così rumoroso che lo si sente dall'altro capo della città. Non ci sono delle vere e proprie luci, ma almeno una persona su due pare avere una torcia o portare una barra luminosa, e verso la fine del campo c'è un bel falò. Mi sento pesantemente impreparata. Penso che potrei correr via sul ponte fino alla via principale per tornare a casa.

No. Non correrò a casa.

«Stai bene?», grida Charlie per farsi sentire sopra la musica. Lui e Nick camminano diversi passi avanti a me, e quest'ultimo ha una torcia rivolta verso di me e mi acceca.

«Resti con noi?». Nick indica il palco. «Andiamo a vedere».

«No», rispondo.

Charlie mi lancia un'occhiata mentre mi allontano. Nick lo spinge via e scompaiono tra la folla.

Anch'io scompaio tra la folla.

Fa abbastanza caldo e non riesco a vedere molto, soltanto il verde e il giallo delle barre luminose e le luci del palco. Il gruppo suona già da almeno mezz'ora e il Clay adesso assomiglia a una specie di palude. Ho i jeans schizzati di fango. Continuo a incontrare persone della mia scuola e ogni volta rivolgo loro ampi cenni di saluto. In mezzo alla folla, Evelyn mi scuote per le spalle e grida che sta cercando il suo ragazzo. Il che me la rende davvero spiacevole.

Dopo un po', capisco che sto calpestando dei pezzi di carta, che sono sparsi letteralmente *ovunque*. Sono sola nella calca quando decido di raccoglierne uno per dargli un'occhiata, illuminandolo con la torcia del mio cellulare.

È un volantino. Fondo nero. Al centro c'è un simbolo in rosso: un cuore rovesciato, disegnato come una sorta di scarabocchio così da sembrare una lettera A, inscritta in un cerchio. In qualche modo ricorda il simbolo dell'Anarchia. Sotto al disegno c'è la parola:

VENERDÌ

Le mani cominciano a tremarmi.

Prima ancora di avere il tempo di pensare meglio a quello che può significare, finisco accanto a Becky, che sta saltando su e giù vicino al palco, con Lauren e Rita. I nostri sguardi si incrociano.

Anche Lucas è là, dietro Rita. Sotto al maglione jacquard e a una larga giacca di jeans indossa una maglietta, il cui colletto ha piccole bordure metalliche. Ha anche le Vans e dei jeans arrotolati. Il solo guardarlo mi fa rattristare.

205

Ficco il volantino nella tasca del cappotto.

Mi vede e indietreggia facendosi piccolo piccolo, cosa non particolarmente facile visto che siamo stipati tra la folla. Mi indico il petto senza distogliere lo sguardo. Poi indico lui. Infine indico il confine del campo.

Poiché non si muove, lo afferro per il braccio e comincio a tirarmelo indietro, allontanandomi dalla folla e dalle casse martellanti.

Mi torna alla mente quando avevamo dieci, nove oppure otto anni, in una situazione analoga: io che lo trascino per il braccio. Da sé non faceva mai nulla. Io invece ero sempre bravissima a fare le cose da sola. Immagino che provassi una sorta di gioia nel prendermi cura di lui. Però giunge un momento in cui non si può più fare. E devi prenderti cura di te stesso. Tuttavia, non credo di avere fatto nessuna delle due cose.

«Che ci fai qui?», mi chiede. Siamo evasi dalla calca per fermarci poco dopo, davanti al falò. Diversi gruppi di persone ci oltrepassano con le bottiglie in mano, e ridono. Vicino al fuoco non c'è praticamente nessuno.

«Ora le cose le faccio», rispondo. Lo afferro per la spalla, piuttosto seria. «Perché... *quando* ti sei trasformato in un hipster?».

Dolcemente si toglie la mia mano dalla spalla. «Sono serio», afferma.

Il gruppo ha smesso di suonare. Per un istante c'è silenzio, l'aria ricolma solo delle voci che si miscelano in un vortice di suoni. Sotto i miei piedi ci sono parecchi di quei volantini.

«Sono rimasta seduta al caffè un'ora intera», dico nella speranza che si senta in colpa. «Se adesso non mi dici perché mi stai evitando, allora, be', possiamo anche piantarla e smettere di essere amici».

Si irrigidisce visibilmente e arrossisce, si vede, anche se la luce è fioca. Mi viene in mente che non saremo mai più amici intimi.

«È…», bofonchia, «è molto difficile… per me… starti vicino…».

«*Perché?*».

Ci mette un po' a rispondere. Si liscia i capelli da un lato e
si strofina un occhio, controlla che il colletto non si sia alzato
e si gratta un ginocchio. Poi scoppia a ridere. «Sei così buffa, Victoria». Scuote la testa. «Sei proprio buffa». Al che, ho
il repentino impulso di dargli un pugno in faccia. Invece ce-
do all'isteria.

«Ma che *cazzo*! Che vuoi dire?!?», comincio a gridare, ma
non si direbbe, per via del rumore. «Sei *pazzo*. Non so perché
mi dici tutte queste cose. Non so perché hai deciso che volevi essere di nuovo il mio migliore amico e ora non so perché
non mi vuoi nemmeno guardare in faccia, non capisco *niente* di quello che fai o dici, e questo mi *uccide*, perché anch'io
non capisco nulla di me, di Michael, di Becky, di mio fratello,
di *niente* su questo schifo di pianeta. Se mi odi, *faresti bene a
dirmelo*. Ti sto chiedendo di darmi *una* risposta diretta, *una*
frase che in un modo o nell'altro abbia un *qualche* senso nella
mia testa, invece NO. Non te ne frega, vero? Non te ne frega
UN CAZZO dei miei sentimenti o di quelli altrui. Tu sei uguale
a tutti gli altri».

«Ti stai sbagliando», ribatte, «stai sba…».

«Tutti hanno *problemi* terribili». Scuoto frenetica la testa,
che tengo stretta fra le mani. Senza motivo, comincio a fare
una vocina finta. «Perfino tu. Perfino il perfetto, innocente
Lucas ha dei *problemi*».

Mi guarda, confuso e atterrito. E io scoppio in una risata
isterica.

«Forse, be', *tutti* quelli che conosco hanno dei problemi. Insomma, non esistono persone felici. *Niente* funziona. Nemmeno per le persone che ritengo perfette. Come mio fratello!».
Gli sorrido sfacciatamente. «Mio fratello, il mio fratellino, è

taaanto perfetto, però è... non gli piace mangiare, insomma, il cibo proprio non gli piace, oppure, non so, lo adora. Lo ama talmente *tanto* che dev'essere sempre perfetto, sai?».

Gli afferro il braccio perché comprenda.

«E poi un giorno si stufa talmente di se stesso, irritandosi a tal punto da decidere che sarebbe stato meglio se il cibo non ci fosse». Comincio a ridere fino alle lacrime. «Ma è una cazzata! Perché devi mangiare, altrimenti muori, no? E mio fratello, Charles, Charlie, be', ha pensato che era meglio farla finita lì per lì! Così, l'anno scorso, lui...». Gli afferro il polso. «...si è *tagliato*. E mi ha scritto una cartolina, per dirmi che gli dispiaceva davvero, ma che non dovevo essere triste perché lui in effetti era davvero *felice* di farlo».

Scuoto il capo ridendo sempre più.

«E sai cosa mi fa venire la voglia di *morire*? Il fatto che, insomma, io *sapevo* che stava per succedere, ma non ho fatto *niente*. Non ne ho mai nemmeno parlato con qualcuno, perché pensavo che me lo stessi *immaginando*. Be', sai che bella sorpresa che ho trovato quel giorno quando sono entrata in bagno?».

Ho le guance rigate di lacrime.

«E sai cos'è *ancor più divertente*? La cartolina ha la foto di una *torta*!».

Lui tace e non ci trova nulla di esilarante, il che mi colpisce. Fa un verso addolorato e si volta di novanta gradi per allontanarsi rapidamente. Mi asciugo gli occhi e poi estraggo dalla tasca del cappotto il volantino per guardarlo, ma la musica ha ripreso e fa troppo freddo, la mente non sembra più in grado di processare niente. A parte quella maledetta foto di quella maledetta torta.

Nove

«Victoria? Tori? Ci sei?».

Qualcuno mi parla al cellulare.

«Dove sei? Stai bene?».

Sono da sola ai margini della folla. La musica è finita. Sono tutti in attesa del gruppo successivo e sempre più gente comincia a unirsi alla calca, per cui bastano uno o due minuti e mi ritrovo ancora una volta schiacciata. Il terreno è coperto da quei volantini e le persone hanno iniziato a raccoglierli. Sta succedendo tutto molto in fretta.

«Sto bene», rispondo infine. «Charlie, sto bene. Sono qui».

«Okay, bene. Nick e io torniamo alla macchina. Anche tu faresti meglio a rientrare».

C'è un fruscio e Nick prende il telefonino. «Tori, ascoltami. Devi tornare alla macchina *immediatamente*».

Ma lo sento appena.

Perché sta succedendo qualcos'altro.

Sul palco c'è un immenso schermo a LED. Finora ha mostrato forme decorative in movimento e a volte i titoli delle canzoni delle band.

Adesso è diventato nero e vi si vedono solo riflesse le barre luminose che punteggiano la folla. Comincio a essere spintonata più avanti, tutti sembrano attratti dallo schermo. Mi volto per cominciare ad allontanarmi dalla calca e a quel punto la vedo: la sagoma di un ragazzo dallo sguardo vacuo, sull'altra sponda del fiume. È Nick? Non saprei.

«Sta succedendo... sta succedendo qualcosa...», dico al cellulare, girandomi di nuovo verso lo schermo.

«Tori, DEVI tornare alla macchina. Tra poco sarà il panico».

Lo schermo diventa bianco, poi rosso sangue, infine ritorna nero.

«Tori? Pronto! Mi senti?».

Al centro dello schermo appare un puntino rosso.

«TORI!?».

S'ingrandisce e prende forma.

È il cuore rovesciato.

La folla grida come se sul palco fosse appena apparsa Beyoncé.

Premo il bottone rosso del cellulare.

E in quel momento dagli altoparlanti risuona una voce distorta, asessuata.

«BUONASERA, SOLITARIANI».

Tutti alzano le mani al cielo e strillano, gioiosi, atterriti, ma *adoranti*. La gente si accalca, tutti schiacciati l'uno con l'altro, in un mare di sudore, e presto ho difficoltà perfino a respirare.

«CI STIAMO DIVERTENDO?».

Ho in mano il volantino che avevo raccolto. Non riesco a vedere Lucas, Becky né nessuno che conosco. Devo allontanarmi. Punto il gomito verso l'esterno e mi volto di centottanta gradi, cominciando a fendere la folla urlante...

«CI SIAMO *INTRUFOLATI* PER DIRVI DI UN *EVENTO SPECIALE* CHE STIAMO ORGANIZZANDO».

Spingo ma sembra che nessuno si muova. La gente guarda in alto verso lo schermo quasi ipnotizzata, mentre grida frasi inintelligibili...

E allora lo vedo di nuovo. Sbircio attraverso gli interstizi tra le teste accalcate. Là, oltre il fiume. Il ragazzo.

«VOGLIAMO CHE SIA UNA GRANDE SORPRESA. *VENERDÌ PROS-*

SIMO. SE FREQUENTATE LA HARVEY GREEN GRAMMAR SCHOOL, LA HIGGS, FARESTE BENE A STARE IN GUARDIA».

Socchiudo gli occhi ma è tanto buio e la folla è così rumorosa; sono felice e terrorizzata al tempo stesso ma non capisco chi sia a parlare. Mi volto di nuovo verso lo schermo, districandomi tra gomiti e ginocchia altrui: mostra un conteggio alla rovescia con giorni, ore, minuti e secondi – la calca balla agitando il pugno – 04:01:26:52, 04:01:26:48, 04:01:26:45.

«SARÀ LA PIÙ GRANDE OPERAZIONE DI SOLITAIRE DI SEMPRE».

Al che, all'improvviso, almeno venti fuochi d'artificio partono in mezzo alla folla, sparati verso l'alto come stelle cadenti. Le scintille ci ricadono addosso, alcune a pochi metri da me. I più vicini gridano, balzano indietro, lontano, per non essere feriti, ma la maggior parte delle urla sono di gioia ed eccitazione. La folla comincia a ondeggiare agitandosi e io vengo trascinata in ogni direzione, con il cuore che batte tanto forte da indurmi a credere che sto per morire, sì, sto per morire, finché alla fine non riesco a sgattaiolare via e mi ritrovo proprio sull'argine del fiume.

Guardo la folla con orrore. In mezzo alla calca continuano a scoppiare fuochi d'artificio di ogni forma e colore. Qualcuno fugge, un paio di persone con i vestiti in fiamme. Qualche metro più in là una ragazza sviene e gli amici la trascinano via.

Tutti gli altri però sembrano divertirsi. Incantati dalle luci arcobaleno.

«*Tori Spring!*».

Per un istante, credo che sia la voce di Solitaire, che parla *a me*, e il mio cuore si ferma del tutto. Però no. È *lui*. Lo sento. Mi volto. È sull'altra sponda del fiume, che da qui è vicina, il volto illuminato dal cellulare come se stesse per raccontare una storia paurosa, d'un fiato, con indosso solo maglietta e jeans. Comincia a salutarmi con la mano. Sono sicura che abbia una specie di sistema di riscaldamento centralizzato interno.

Guardo verso di lui: Michael. Ha in mano una bottiglietta di qualcosa.

«È… è *tè*?», grido.

Solleva la bottiglietta per studiarla, come se se ne fosse dimenticato. Torna con lo sguardo a me, gli occhi che brillano, e urla nella notte: «Il tè è l'elisir della vita!».

Qualcuno si mette a gridare. Mi giro e vedo che le persone si stanno allontanando, urlando e indicando una lucina sul terreno che è a soli due passi da me. Una piccola luce che proviene da un cilindro incastrato al suolo.

«DESIDERIAMO SOPRATTUTTO RINGRAZIARE IL COMITATO DEL CLAY FESTIVAL CHE NON CI HA ASSOLUTAMENTE PERMESSO DI STARE QUI».

In due secondi esatti comprendo che, se non mi muovo, mi arriverà dritto in faccia un fuoco d'artificio.

«TORI». La voce di Michael mi avvolge. Ho l'impressione di essere ormai incapace di muovermi. «TORI SALTA IMMEDIATAMENTE NEL FIUME».

Volto il capo verso di lui. Accettare il destino e farla finita è una bella tentazione.

Ha un'espressione di puro terrore dipinta in volto. Salta nel fiume.

Qui fuori fanno zero gradi.

«Oddio», dico prima di potermi fermare, «cazzarola».

«DATE UN'OCCHIATA AL BLOG. E DATEVI UN'OCCHIATA INTORNO. CIASCUNO DI VOI È IMPORTANTE. LA PAZIENZA UCCIDE».

La fiammella ha quasi raggiunto il cilindro. Ho forse cinque secondi. Quattro secondi.

«TORI, SALTA NEL FIUME!».

Lo schermo diviene nero e lo stridio è al massimo della sua

212

potenza. Michael sta guadando il fiume diretto qui, allungando una mano e tenendo l'altra sopra la testa per reggere la bottiglietta. La mia unica scelta.

«TORI!!!».

Dall'argine, salto nel fiume.

Tutto pare rallentare. Dietro di me, esplode il fuoco d'artificio. Quando è a metà corsa, lo vedo riflesso nell'acqua, giallo, blu, verde e viola che danzano tra le onde, ed è abbastanza bello, ma solo abbastanza. Plano con uno spruzzo talmente gelido che le gambe quasi mi cedono.

E allora avverto il dolore al braccio sinistro.

Lo guardo. Mi interesso alle fiamme che avvolgono la manica. Sento che Michael grida qualcosa, ma non capisco. E immergo il braccio nell'acqua ghiacciata.

«Ommioddio». Michael è quasi arrivato dall'altra parte, con la bottiglietta sempre alta sopra il capo. Il fiume è largo almeno dieci metri. «Porca miseria, si gela!».

«E RICORDATE, SOLITARIANI: LA GIUSTIZIA È TUTTO».

La voce si spegne. Oltre il fiume, la folla corre verso le macchine.

«Stai bene?», grida Michael.

Esitando, sollevo il braccio dall'acqua. La manica del cappotto non esiste più, bruciata, mentre le maniche del maglione e della camicia sono a brandelli. La pelle che si intravede è di un rosso vivo. La premo con l'altra mano. Fa male. Tanto.

«Cazzarola!». Michael cerca di fare in fretta, ma vedo che trema.

Faccio un passo indietro, scossa dai fremiti, forse per il freddo o forse per il fatto che sono appena scampata alla morte, oppure per il dolore della scottatura al braccio. Comincio a borbottare, delirando: «Ci stiamo uccidendo. Ci stiamo uccidendo tutti e due».

Lui riesce a sorridere. È quasi a metà strada. Ha l'acqua al costato. «Dài, svelta, allora. Oggi non mi va di morire per ipotermia».

L'acqua ha raggiunto le mie ginocchia, o forse ho fatto un altro passo in avanti. «Hai bevuto?».

Solleva il braccio sopra la testa urlando: «SONO L'INDIVIDUO PIÙ SOBRIO SULLA FACCIA DELL'INTERO PIANETA!».

Ho l'acqua alla vita. Sto andando avanti?

Lui dista un paio di metri. «Vado a fare un giro!», cantilena. «Potrebbe volerci un po'!». E poi: «Oddio, sto letteralmente congelandomi a morte».

Penso esattamente la stessa cosa.

«Che c'è che non va?», domanda. Adesso non c'è bisogno di urlare. «Tu stavi… stavi ferma lì».

«Stavo per morire», dico, senza nemmeno ascoltarlo. Mi sa sto per avere un collasso. «Il fuoco d'artificio».

«Va bene. Adesso stai bene». Mi solleva il braccio per dare un'occhiata. Deglutisce nel tentativo di non imprecare. «Okay. Sei okay».

«C'era gente… c'era un mucchio di gente ferita».

«Ehi». Trova l'altra mano nell'acqua e si china quanto basta perché i nostri occhi siano alla stessa altezza. «Va bene. Staranno tutti benone. Andiamo in ospedale».

«Venerdì», ripeto. «Solitaire è… venerdì».

Guardiamo verso il palco: lo spettacolo è incredibile. Piovono volantini. Grandinano sulla folla soffiati dal grande ventilatore sul palco e i fuochi d'artificio continuano a scoppiare. È una tempesta, un'autentica tempesta.

Il genere di tempesta che si affronta unicamente per il brivido che si prova quando si rischia di morire.

«Ti ho cercato», dico. Non riesco a percepire più gran parte del corpo.

Per qualche ragione, mi mette le mani sulle guance, si sporge e dice: «Tori Spring, io ti cerco *da sempre*».

I fuochi d'artificio continuano incessanti e il volto di Michael si illumina dei colori dell'arcobaleno mentre le luci sfavillano sulle sue lenti e i volantini volteggiano intorno a noi come se fossimo intrappolati in un uragano, ma l'acqua buia ci strangola. Siamo vicinissimi, le persone ci urlano qualcosa e ci indicano, però non me ne frega niente: il gelo si è dissolto in una sorta di doloroso intorpidimento che quasi non avverto, penso alle lacrime che si ghiacciano sulle guance e davvero non so come sia possibile, eppure tramite una qualche forza planetaria mi ritrovo a stringere Michael come se non sapessi cos'altro fare. Lui mi stringe a sua volta, quasi stessi per annegare. Credo che mi stia baciando la testa ma potrebbe essere un fiocco di neve. Solo che lui sussurra: «Nessuno piange da solo», o forse: «Nessuno muore da solo», e ho la sensazione che finché resto qui allora può esistere una sorta di piccola chance che in questo mondo ci sia qualcosa di minimamente buono. L'ultima cosa che ricordo di aver pensato prima di svenire per il freddo è che, se dovessi morire, preferirei essere un fantasma piuttosto che andare in paradiso.

Dieci

Oggi potrebbe essere lunedì. Di ieri sera ho un ricordo confuso. Ricordo di essermi risvegliata sull'argine del fiume tra le braccia di Michael, la morsa gelida dell'acqua e l'odore della sua maglietta, e poi la corsa. C'è qualcosa che mi spaventa, ma non so cosa sia. Non so che dire.

Sono andata al pronto soccorso. Nick e Charlie mi hanno costretto. Adesso ho una grossa fasciatura sul braccio, ma non è un problema, non mi fa molto male. Stasera devo toglierla per metterci su una pomata. L'idea non mi entusiasma.

Ogni volta che la guardo, il pensiero torna a Solitaire. Mi ricorda di cosa è capace.

Oggi sembrano tutti felici, e questo non mi piace. Il sole è sorto con furia assassina e ho dovuto mettermi gli occhiali scuri per andare a scuola, perché il cielo, come una grande piscina sospesa, sta cercando di inghiottirmi. Siedo nella sala comune. Rita mi chiede cosa ho fatto al braccio e io le rispondo che è stato Solitaire. Mi chiede se sto bene. La domanda mi fa scoppiare in lacrime, così le rispondo di sì e scappo via. Sto bene.

Intorno a me colgo sprazzi di vita. Scialbi gruppi di ragazze sprofondate nelle sedie con indolenza. Una tizia del penultimo anno guarda fuori dalla finestra mentre le amiche accanto a lei ridono. L'immagine laminata di una montagna con la didascalia "Ambizione". Una luce intermittente. Mi calmo pensando che scoprirò chi sono quelli di Solitaire e che cosa stanno architettando per venerdì; mi calmo pensando che io li fermerò.

A ricreazione ho già contato, diffusi per la scuola, sessantasei manifestini di Solitaire in cui si legge: "VENERDÌ, IL GIORNO DELLA GIUSTIZIA". Kent, Zelda e i capoclasse sono in subbuglio, e non si riesce a percorrere il corridoio senza imbattersi in uno di loro che strappa gli avvisi dai muri borbottando rabbiosamente tra sé. Oggi ci sono due nuovi post sul blog di Solitaire: una foto dell'assemblea della scorsa settimana, quando dallo schermo del proiettore è apparso un suo messaggio, e un'immagine della Vergine Maria. Voglio stamparle e attaccarle alla parete della mia stanza, accanto a tutti gli altri post di Solitaire che ho già appeso. Ormai il muro è quasi del tutto coperto.

Prima, Solitaire ha picchiato un ragazzo, poi ha ferito gravemente un po' di gente, e questo al solo scopo di mettere in piedi un bello spettacolo. E in città tutti impazziscono per lui.

Ormai mi è chiaro che, se non sarò io a fermare Solitaire, non lo farà nessun altro.

A pranzo, ho l'impressione di essere seguita, ma quando arrivo al dipartimento di Informatica concludo di essere stata più furba di loro. Prendo posto nella C15, l'aula proprio di fronte alla C16, dove ho incontrato Michael. Nell'aula ci sono altre tre persone. Una studentessa dell'ultimo anno sta scorrendo la pagina web dell'Università di Cambridge, e un paio di primini stanno giocando a *The Impossible Quiz* con grandissima concentrazione. Non fanno caso a me.

Accendo il computer e per quarantacinque minuti scorro su e giù il blog di Solitaire.

A un certo punto il mio inseguitore entra nella C15. Ovviamente è Michael. Dato che mi sento ancora in colpa per essere scappata di nuovo, e non mi va di parlarne, lo supero di slancio, esco dall'aula e m'incammino a passo veloce senza una meta precisa. Mi raggiunge. Manteniamo un passo spedito.

«Cosa stai facendo?», chiedo.

«Sto camminando», risponde Michael.

Svoltiamo un angolo.

«Matematica», precisa. Siamo nel corridoio che porta all'aula di Matematica. «Qui approntano bellissime presentazioni, altrimenti dubito che a qualcuno piacerebbe la matematica. Perché la gente la trova divertente? Non ti dà nulla a parte un falso senso di riuscita».

Kent esce da un'aula a pochi passi da noi.

«Tutto bene, professor Kent?», esclama Michael. Il vicepreside gli rivolge un vago cenno di assenso e ci oltrepassa.

«Sono sicuro che scrive poesie», continua Michael. «Si vede. Dallo sguardo e da come incrocia sempre le braccia».

Mi fermo. Abbiamo fatto il giro completo del primo piano della Higgs. Restiamo assolutamente immobili, ci guardiamo. Lui ha in mano una tazza di tè. È un momento strambo, secondo me abbiamo tutti e due voglia di abbracciarci, ma ci do subito un taglio facendo dietrofront per tornare nella C15.

Mi siedo allo stesso computer di prima e lui prende posto accanto a me.

«Sei scappata un'altra volta», commenta.

Non lo guardo.

«Non hai risposto ai miei SMS ieri sera, dopo che sei corsa via», riprende. «Ho dovuto mandare un messaggio a Charlie su Facebook per scoprire che fine avevi fatto».

Non rispondo.

«Hai ricevuto i miei SMS? I messaggi vocali? Avevo paura che avessi un principio di congelamento. Il braccio, poi, ero veramente preoccupato».

Non mi pare di aver ricevuto SMS. O messaggi vocali. Ricordo Nick che mi urla addosso che sono un'idiota, e Charlie seduto accanto a me sul sedile posteriore della macchina, anziché davanti con Nick. Ricordo di essere arrivata al pronto soccorso e di aver aspettato per ore. Ricordo Nick che si addormenta sulla spalla di Charlie, mio fratello e io che giochiamo a *Indovina quello che penso*, e lui vince sempre. Ricordo di non aver dormito ieri notte. Ricordo di aver detto a mamma che sarei andata a scuola, e basta.

«Cosa stai facendo?», chiede.

Cosa sto facendo. «Sto…». Sto pensando. Mi sto guardando nello schermo nero del computer. «Sto… Sto facendo una cosa. Su Solitaire».

«Da quando t'interessi a Solitaire?»

«Da…». Vorrei rispondergli, ma non so cosa dire.

Non si acciglia, né sorride, niente.

«Perché non dovrebbe interessarmi?», continuo. «A *te* interessa. Sei stato tu a dire che Solitaire mi stava prendendo di mira».

«Pensavo solo che non ti interessasse», azzarda in tono esitante. «Non è da te… è solo che non credevo… insomma, non te ne importava molto, all'inizio».

Sì, forse ha ragione.

«A *te* interessa ancora… vero?», insisto, ma ho paura della risposta.

Michael mi guarda a lungo. «Vorrei sapere chi c'è dietro a tutto questo», ammette. «Quello che è successo a Ben Hope è stato orribile, e poi ieri sera… Insomma, è stata una vera idiozia. È un miracolo che non sia morto nessuno. Hai visto il pezzo su BBC News? Quelli del Clay Festival lo stanno spacciando per il loro gran finale, come se qualcosa fosse andato storto. Solitaire non viene neppure menzionato. Evidentemente gli organizzatori non hanno voluto far sapere che li avevano fregati. E comunque, chi crederebbe mai a dei ragazzi che sostengono che a organizzare tutto è stato un blog?».

Michael mi fissa come se avesse paura di me. Devo avere un'espressione molto strana. Inclina la testa di lato. «Da quant'è che non dormi?».

Non mi curo di rispondergli. Rimaniamo seduti in silenzio per un attimo, poi lui torna alla carica.

«Ascolta, magari ti sembrerà scontato, però…». Fa una pausa. «Se hai voglia, ehm, ecco, di parlare, di qualsiasi cosa, sai… c'è sempre bisogno di qualcuno con cui aprirsi. Tu non parli molto. Io sono qui… ecco… se ti va di parlare. Questo lo sai, no?».

Il suo discorso è talmente frammentario che non ne capisco bene il significato, quindi annuisco con entusiasmo. A giudicare dal sorriso, sembra sollevato. Almeno finché non attacca di nuovo: «Mi vuoi dire perché hai cambiato idea? Perché sei così ossessionata?».

Non mi era mai passato per la testa di essere ossessionata. Non credo userei quel termine. «Qualcuno deve pur esserlo».

«Perché?»

«Perché è importante. Ormai alle cose importanti non bada più nessuno». Divago. «Siamo talmente abituati alle catastrofi che alla fine le accettiamo. Pensiamo di meritarcele».

Il suo sorriso incerto si spegne. «Secondo me, nessuno merita una catastrofe. Penso che un sacco di gente la desideri perché è l'unica cosa rimasta in grado di attirare l'attenzione».

«Attirare l'attenzione?»

«C'è chi non ne riceve affatto», spiega, e qui è di nuovo il ragazzo della pista di pattinaggio: serio, autentico, imbronciato e pieno di *rabbia* dentro. «C'è chi non riceve *mai* attenzione. Se passi la vita ad aspettare qualcosa che magari non arriverà mai, si può anche capire perché la desideri tanto».

Di colpo ho l'impressione di essere cieca, o forse sorda, e perdo il filo della conversazione.

Michael si china e inizia a frugare nella borsa. Un attimo

dopo tira fuori una lattina e me la porge. È una marca quasi sconosciuta di limonata diet. Una delle mie preferite. Lui sorride, ma in modo forzato. «Ero al negozio e mi sei venuta in mente tu».

Guardo la lattina con una strana sensazione allo stomaco. «Grazie».

Un'altra lunga pausa.

«Sai», continuo, «quando è partito quel fuoco d'artificio, ho davvero pensato che sarei morta. Ho pensato… adesso prendo fuoco e muoio».

Lui mi guarda. «Ma non è successo».

È veramente una brava persona. Di gran lunga troppo brava per frequentare una come me.

Mi viene quasi da ridere per aver pensato un simile stereotipo. Credo di aver già detto che certe cose diventano degli stereotipi perché sono vere. Be', una cosa so per certo, e cioè che non sono all'altezza di uno come Michael Holden.

Più tardi, alle sette, a cena. Mamma e papà sono usciti. Nick e Charlie sono seduti ai lati opposti del tavolo. Io siedo accanto a Oliver. Mangiamo della pasta con un sugo di carne. Non so che carne sia. Non riesco a concentrarmi.

«Tori, che hai?». Charlie agita la forchetta verso di me. «Che c'è? Sta succedendo qualcosa».

«C'è *Solitaire*», rispondo, «eppure non importa a nessuno. Se ne stanno tutti con le mani in mano a parlare di cose senza importanza, fingendo che si tratti dell'ennesima bravata.

Nick e Charlie mi guardano come se fossi pazza. Bene, lo sono.

«In effetti, è piuttosto strano che non si sia parlato di Solitaire», dice Nick. «Cioè, dopo quella storia al Clay. Non l'hanno neanche menzionato. La gente non sembra prenderlo sul serio…».

Charlie sospira, l'interrompe. «Anche se Solitaire mette a segno qualche tiro spettacolare, non c'è motivo per cui Tori, o qualcun altro, si debba sentire coinvolta. Non è un problema nostro, vi pare? Non dovrebbero essere i professori, o la polizia, a fare qualcosa? È colpa loro, che non si preoccupano di intervenire».

E in questo momento capisco che ho perso anche lui.

«Pensavo che voi due... foste meglio di tutto questo».

«Questo cosa?». Charlie inarca le sopracciglia.

«Tutta questa roba di cui la gente si preoccupa inutilmente». Intreccio le dita e appoggio le mani sulla testa. «È tutto falso. Tutti fingono. Perché non gliene *importa* mai niente a nessuno?»

«Tori, sul serio, stai be...».

«SÌ», urlo. «SÌ, STO BENE, GRAZIE. E VOI?».

E poi me ne vado di corsa, un attimo prima di mettermi a piangere.

Ovviamente Charlie l'ha detto a mamma e a papà. Quando tornano a casa – non so che ore siano – bussano alla mia porta. Non rispondo e loro entrano.

«Che c'è?», chiedo. Sono seduta sul letto e ho passato gli ultimi trentasette minuti a cercare di scegliere un film da guardare. Alla televisione, un giornalista sta parlando del suicidio di uno studente di Cambridge. Ho il portatile appoggiato sulle ginocchia, come un gatto addormentato, e la homepage del mio blog emana un fioco bagliore blu.

Mamma e papà guardano a lungo la parete alle mie spalle. Ormai la tinta non si vede più, è un mosaico di centinaia di stampate di Solitaire.

«Tori, c'è qualcosa che non va?», chiede mio padre, distogliendo lo sguardo dal muro.

«Non lo so».

«Hai avuto una brutta giornata?»

«Sì. Come sempre».

«Dài, non c'è bisogno di essere così melodrammatici». Mamma sospira, sembra delusa. «Su con la vita, sorridi».

Emetto un finto conato di vomito. «Buon Dio».

Mamma sospira di nuovo. E pure papà.

«Bene, allora ti lasciamo alla tua infelicità», dice lui, «se vuoi fare la sarcastica».

«Ah, ah. Sarcastica».

Alzano gli occhi al cielo e se ne vanno. Comincio ad avere la nausea. Forse è il letto. Non lo so. Non lo so proprio. L'ingegnosa soluzione al dilemma è di lasciarmi scivolare penosamente sul pavimento. Mi appoggio stancamente alla parete dedicata a Solitaire. La stanza è in penombra.

Venerdì. Venerdì. Venerdì venerdì venerdì venerdì venerdì venerdì venerdì venerdì venerdì venerdì. Venerdì venerdì venerdì venerdì venerdì venerdì venerdì venerdì.

Undici

«Mamma», esordisco. Sono le 7:45 di martedì e non ho gonne pronte. È uno di quei casi in cui non posso fare a meno di parlare con mia madre. «Mamma, mi puoi stirare la gonna di scuola?».

Lei non risponde, perché siede in vestaglia al computer in cucina. Si potrebbe pensare che mi stia intenzionalmente ignorando, ma è davvero presa da qualche e-mail scema che sta scrivendo.

«Mamma», ripeto. «Mamma. Mamma. Mamma. Mamma. Mamma. Ma…».

«*Che c'è?*»

«Mi puoi stirare la gonna di scuola?»

«Non puoi metterti l'altra?»

«È troppo piccola. Era già troppo piccola quando l'abbiamo comprata».

«Be', non te la stiro la tua gonna. Stirala tu».

«Non ho mai stirato niente in vita mia e devo uscire tra quindici minuti».

«Una vera seccatura».

«Già». Non mi risponde. Santo Dio. «A quanto pare devo andare a scuola senza gonna».

«A quanto pare, sì».

Digrigno i denti. Devo prendere l'autobus tra quindici minuti e sono ancora in pigiama.

«Non te ne importa?», chiedo. «Non ti importa che non ho la gonna?»

«Al momento *no*, Tori. È nell'asciugabiancheria. È solo un po' sgualcita».

«Già, l'ho vista. Dovrebbe essere una gonna a pieghe, mamma. Al momento le pieghe sono sparite».

«Tori, sono molto occupata».

«Ma non ho una gonna per andare a scuola».

«Allora mettiti l'altra, per amor del cielo!».

«Ma ti ho appena detto che è troppo pic...».

«Tori! Non me ne importa niente!».

Smetto di parlare. La guardo.

Mi chiedo se diventerò come lei, che se ne frega del fatto che sua figlia non abbia una gonna da mettersi per andare a scuola.

E poi ho un'illuminazione.

«Mamma, sai una cosa?», dico, e comincio a ridere tra me. «Non me ne importa niente neanche a me».

Così salgo di sopra e mi metto la gonna grigia troppo piccola, poi m'infilo i vecchi pantaloncini da ginnastica sopra i collant, così non si vede niente, cerco di sistemarmi i capelli, ma, oh, indovinate un po', non me ne importa niente neppure dei capelli, e allora comincio a truccarmi, ma no, un momento, non m'importa niente nemmeno del trucco, quindi scendo di nuovo al pianterreno, prendo lo zaino ed esco di casa con Charlie, beandomi dell'alone di gloria che emana da questa sensazione di infischiarmene di ogni cosa immaginabile nell'intero universo.

Oggi mi sento una specie di fantasma. Sono su una sedia girevole della sala comune e cincischio con la fasciatura sul braccio, e guardo fuori dalla finestra delle primine che stanno facendo a palle di neve. Sono tutte sorridenti.

«Tori». Becky mi chiama dall'altro lato dell'aula, non troppo distante. «Ti devo parlare».

Mi alzo a malincuore e zigzago fra quelli dell'ultimo biennio per raggiungerla. Non sarebbe bello essere capaci di passare attraverso le persone?

«Come va il braccio?», chiede. Ha l'aria superimbarazzata. Io ormai l'ho superato: sono oltre l'imbarazzo. Perché dovrebbe importarmi di cosa pensano gli altri? Perché dovrebbe importarmi ancora di qualcosa... di qualsiasi cosa?

«Bene», dico. Una risposta obbligata a una domanda obbligata.

«Senti, non intendo scusarmi, okay? Non ero in torto». Sembra quasi che mi stia rimproverando perché sono arrabbiata con lei. «Voglio solo spiegarmi e dire quello che da tempo pensiamo *tutte e due*». Mi guarda dritto negli occhi. «Non ci siamo comportate da amiche ultimamente, non ti pare?».

Non rispondo.

«E non mi riferisco solo a quello che è successo a... quello che è successo. Va avanti da mesi. È come se tu... è come se tu non volessi davvero essere mia amica. È come se io non ti piacessi».

«Non è che non mi piaci», borbotto, ma non so come continuare. Non so cosa sia.

«Se siamo... se non possiamo comportarci da amiche, allora non ha molto senso continuare a esserlo».

Mentre parla le si inumidiscono gli occhi. Non mi viene in mente niente da dire. Ho conosciuto Becky il primo giorno del 7° anno di scuola. Ci siamo sedute vicine. Ci passavamo gli appunti, giocavamo a nomi-cose-città e l'aiutavo a tappezzare il suo armadietto con le foto di Orlando Bloom. A ricreazione mi prestava i soldi per i dolci. Parlava sempre con me, anche se ero una di quelle che stanno sempre zitte. Cinque anni e mezzo dopo siamo a questo punto.

«Secondo me non siamo più compatibili», dice. «Non credo sia possibile essere ancora amiche. Sei cambiata. Forse sono cambiata anch'io, ma tu lo sei di sicuro. E non è necessariamente una brutta cosa, però è vero».

«Quindi è colpa mia se non siamo più amiche?».

Becky non reagisce. «Non credo che tu abbia ancora bisogno di me».

«Ma perché?»

«Non ti fa piacere stare con me, o sbaglio?».

Scoppio a ridere, esasperata, e dimentico tutto tranne lei e Ben, lei e Ben, lei e il ragazzo che ha picchiato mio fratello.

«Stai cercando comprensione? Vuoi rompere con me? Questa non è una telenovela, Becky. Non siamo in un film di lesbiche».

Si acciglia, delusa. «Tu non mi prendi sul serio. Piantala con queste stronzate», dice. «Piantala, va bene? *Su con la vita*. Lo so che sei pessimista, ti conosco da cinque anni, ma ora la situazione ti sta sfuggendo di mano. Fatti forza ed esci di nuovo con Michael».

«Cosa?!», esclamo in tono di scherno. «Così può *riaggiustarmi*? E magari insegnarmi come smettere di essere me stessa?». Rido di cuore. «Non dovrebbe uscire con una come me».

Si alza. «Dovresti cercare persone più simili a te. Ti troveresti meglio».

«Non c'è nessuno come me».

«Stai andando in pezzi».

Sbotto. «Non sono una *macchina*».

È furiosa, insomma, Cristo, la sua faccia emana rabbia autentica. Ce la mette tutta per non gridare la sua ultima parola: «*Bene*».

Becky si dirige tempestosamente verso un gruppetto di cui un tempo pensavo di far parte. Dovrei sentirmi come se avessi perso qualcosa, invece non sento niente. Accendo l'iPod e mi metto ad ascoltare un album triste, il non plus ultra dell'autocommiserazione, e comincio a riesaminare mentalmente i fatti: il primo post sul blog di oggi di Solitaire è un trailer di *Fight Club*. C'è una possibilità su ventimila di essere assassinati. Charlie non ha fatto colazione stamattina: ha gridato quando ho cercato di farlo mangiare, così ho rinunciato. Dev'essere colpa mia, perché ieri mi sono arrabbiata con lui. Ho tre SMS non letti di Michael Holden e ventisei messaggi non letti sul mio blog.

È trascorso un po' di tempo. Sono tornata nella C16, la cadente aula di Informatica al primo piano dove ho trovato quel post-it. Si vede che qui non è entrato nessuno. Il sole illumina la polvere che galleggia a mezz'aria.

Mentre guardo l'esterno dalla finestra, con la faccia schiacciata contro il vetro, mi accorgo che fuori, alla mia sinistra, c'è una lunga scala a chiocciola di ferro e l'ultimo scalino è parallelo alla finestra in cui sono. Conduce al tetto di cemento del padiglione di Arte, un'aula aggiunta di recente che si protende dal primo piano. Non credo di avere mai notato prima la scala.

Dalla C16 scendo a passo svelto fino al pianterreno, esco fuori e m'inerpico per la scala di ferro, fino in cima.

Anche se non sono sopra al tetto della scuola, stare in piedi sopra l'aula di Arte è comunque pericoloso, si tratta sempre del primo piano. Do una sbirciata al prato sottostante, che degrada leggermente verso il campo.

Sollevo lo sguardo. Il terreno fangoso si estende a perdita d'occhio. Il fiume scorre lentamente.

Mi metto a sedere con le gambe penzoloni dal bordo del tetto. Qui sopra, nessuno può vedermi o trovarmi. È la quarta ora di lezione del martedì, quasi ora di pranzo, e salto Musica per la centesima volta. Chi se ne importa.

Apro il blog di Solitaire sul cellulare. Il timer del conto alla rovescia appare in testa allo schermo. Mi ritrovo a controllarlo di continuo. 02:11:23:26. Due giorni, undici ore, ventitré minuti, ventisei secondi prima che giovedì diventi venerdì. Oggi le bravate di Solitaire si concentrano sul numero 2, che spunta fuori da centinaia di manifesti, dai post-it appiccicati ovunque, da tutte le lavagne bianche, persino dallo schermo dei computer. Da qui, vedo un numero 2 dipinto in rosso sulla neve che copre il campo. Mi fa pensare al sangue.

A una certa distanza dal 2, vedo un grosso oggetto di legno. Mi alzo e faccio un passo indietro. Capisco che è il podio da cui Kent presiede le assemblee con gli allievi. Un gruppetto di studenti si è riunito all'esterno in attesa, come me, che succeda qualcosa di emozionante. Ciuffo si è piazzato in prima fila con una videocamera in mano.

Incrocio le braccia. Le falde del blazer sbattono dietro di me per il vento. Devo avere un'aria molto teatrale, in piedi sul tetto.

Sulla parte anteriore del podio hanno dipinto il simbolo anarchico di Solitaire.

Il palchetto da cui di solito Kent parla è in direzione opposta rispetto alla scuola e fissa malinconicamente il campo innevato, fino alla città e oltre il fiume. Un pezzo di Ludovico Einaudi comincia a uscire dall'altoparlante, mescolandosi al sospiro di una brezza costante. Un foglio di carta, residuo di uno dei passati discorsi di Kent, è attaccato al podio con una graffetta, e i turbini ventosi lo sollevano e lo fanno svolazzare, trasformandolo in cenni che invitano la città e il fiume a venire qui.

A un certo punto il podio prende fuoco.

Tutto finisce in meno di trenta secondi, eppure sembrano molto più lunghi. Una scintilla che nasce dalla base manda in fiamme l'intera struttura di legno, raddoppiando le dimensioni del podio, ingigantendolo, espandendolo. Lo spettacolo ha una sua intima bellezza. Il riflesso rosso aranciato ondeggia e proietta un fioco bagliore sulla neve che illumina debolmente tutto il campo. Il vento è così forte che il fuoco comincia a turbinare intorno al legno, sparando schegge annerite di carbone in ogni direzione, un tunnel di fumo che sale a sbuffi verso l'alto. Un nero tenebroso s'insinua lentamente attraverso il legno chiaro, che si fende. Il podio indugia a guardare per l'ultima volta il sogno della libertà. Poi, di colpo, l'intera struttura si sgretola in un ammasso di schegge e il fuoco, prima ardente, finalmente si placa. Ciò che resta, è poco più di un cumulo di fuliggine e cenere.

Sono paralizzata. Gli studenti si sparpagliano sul campo urlando e strillando, ma non per paura. Una ragazzina fa un passo avanti, recupera un frammento del podio e lo porta ai suoi amici. I professori cominciano a farsi vedere, abbaiando rimproveri e allontanando gli studenti. Guardo la ragazzina che lascia cadere il suo trofeo nella neve.

Non appena il campo è sgombro, mi precipito giù per le scale e corro per recuperare quel frammento di legno bruciato. L'osservo, poi mi volto a guardare il cumulo di resti anneriti, la neve grigiastra e il lungo e onnipresente fiume, e penso alla massa anonima degli studenti, così eccitati dallo spettacolo. Ripenso alle persone rimaste a guardare mentre picchiavano Ben Hope, sghignazzando e ridendo di fronte al suo dolore, quelle che saltavano su e giù, come tanti bambini davanti ai fuochi d'artificio al Clay, mentre i feriti terrorizzati correvano bruciando.

Stringo il pugno. Il pezzo di legno si sbriciola in una polvere nera.

Dodici

Mercoledì, quando arrivo a scuola, cerco Michael Holden nella sala comune. Mi chiedo se vederlo mi farà stare meglio o peggio, perché potrà andare in entrambi i modi. Lo so che lo sto trascinando a fondo. Frequentarmi non può farlo stare meglio. Merita di avere un'amica che ami la vita e le risate, che abbia voglia di divertirsi e di fare avventure, qualcuno con cui bere il tè, parlare di un libro, sognare a occhi aperti, pattinare sul ghiaccio e ballare. Qualcuno che non sono io.

Becky, Lauren, Evelyn e Rita sono sedute nel nostro angoletto. Niente Ben, niente Lucas. Si ricomincia da capo, come all'inizio dell'anno. Rimango sulla soglia della sala comune a guardarle. Soltanto Evelyn nota la mia presenza. Incrociamo gli sguardi, poi lei distoglie in fretta il suo. Anche se fossi un decoroso essere umano munito di tolleranza e ignorassi con fare tranquillo il suo look straordinariamente irritante, Evelyn ha sempre fatto molte cose che non approvo, tipo pensare di essere migliore degli altri e fingere di sapere più di quanto sappia in realtà. Mi chiedo se io non le piaccio quanto lei non piace a me.

Prendo posto su una sedia girevole, lontana dal Nostro Gruppo, e penso alle mie caratteristiche distintive. Pessimista. Guastafeste. Insopportabilmente maldestra e probabilmente paranoide. Una povera illusa. Sgradevole. Folle borderline, psicopatica maniaco-depre...

«Tori».

Mi giro di scatto sulla sedia. Michael Holden mi ha trovato. Sollevo lo sguardo su di lui. Sta sorridendo, ma in modo strambo. Finto. O è la mia immaginazione?

«Oggi è mercoledì», dico subito. Non vorrei cominciare la conversazione con chiacchiere insulse, eppure alla fine è quello che faccio.

Lui batte le palpebre, ma non reagisce come se fosse preso in contropiede. «Sì. Sì, è vero».

«Mi sa», replico, chinandomi sulla scrivania per poggiare la testa sul braccio, «che il mercoledì non mi piace perché cade a metà settimana. Ti sembra di andare a scuola da secoli, e ci vogliono ancora secoli prima del weekend. È il giorno più… frustrante».

Mentre assorbe le mie parole, un'espressione piuttosto bizzarra gli attraversa il volto. Quasi una sensazione di panico. Tossicchia. «Possiamo, ehm, parlare in un posto più tranquillo?».

Non ho nessuna voglia di alzarmi.

Ma lui insiste. «Per favore, ci sono delle novità».

Mentre ci avviamo, gli guardo la nuca. Anzi, osservo tutto il suo corpo. Ho sempre considerato Michael Holden una sorta di entità, di sfavillante astro celeste delle meraviglie, eppure adesso, mentre lo guardo camminare con l'uniforme della scuola, e i capelli morbidi e scompigliati, così diversi rispetto a quando l'ho incontrato per la prima volta, mi rendo conto che è solo un tipo normale. Che si alza e va a letto, ascolta musica e guarda la TV, ripassa per gli esami e al pomeriggio fa i compiti, si siede a tavola a cena, fa la doccia e si lava i denti. Roba normale.

Ma cosa sto dicendo?

Mi porta in biblioteca. Il posto non è tranquillo come sperava, ci sono ragazze delle classi inferiori che sciamano intorno ai tavoli esattamente come facciamo noi più grandi nella sala comune, però con molto più entusiasmo. Non ci sono molti libri; più che una biblioteca vera e propria è una grande stanza con qualche scaffale. L'atmosfera è piuttosto strana. Sono quasi felice che qui l'aria sia tanto luminosa e allegra. È una sensazione singolare, perché le cose luminose e allegre di solito non mi piacciono.

Ci mettiamo a sedere al centro della fila della saggistica. Lui mi guarda, ma io non voglio ricambiare il suo sguardo. Guardare il suo viso mi fa sentire buffa.

«Ieri ti sei nascosta!», attacca, cercando di farla sembrare una battuta carina. Come se avessimo sei anni.

Per un attimo mi chiedo se conosce il mio angolino speciale sul tetto dell'aula di Arte, ma è impossibile.

«Come va il braccio?», chiede.

«Bene», rispondo. «Non dovevi dirmi qualcosa?».

Nella pausa che segue, è come se avesse un mondo di cose da raccontarmi e al contempo niente.

«Stai b...», comincia, ma poi cambia idea. «Hai le mani fredde».

Osservo le mie mani con aria inespressiva, continuando a evitare il suo sguardo. Mi ha preso per mano mentre mi conduceva qui? Chiudo i palmi a pugno e sospiro. Bene. E chiacchiere insulse siano. «Ieri sera ho guardato tutti e tre i film del *Signore degli anelli* e poi *V per Vendetta*. Oh, e ho fatto un sogno. Credo ci fosse Winona Ryder».

E di colpo sento la tristezza sgorgare da lui, il che mi fa venire voglia di alzarmi, correre via e non fermarmi più.

«Ho anche scoperto che dall'inizio del mondo sono morte circa cento miliardi di persone. Lo sapevi? Cento miliardi. È un bel numero, ma ancora non mi sembra abbastanza».

Segue un lungo silenzio. Un gruppetto di ragazzine ci sta guardando e ridacchia, probabilmente ci credono impegnati in una conversazione profonda e romantica.

Alla fine lui dice una cosa sensata: «Credo che nessuno di noi due abbia dormito molto».

Allora mi decido a guardarlo.

Provo una piccola scossa. In quel sorriso tranquillo non c'è nulla del solito Michael.

E penso a quella volta alla pista di pattinaggio, quando era così arrabbiato,

ma questo è diverso.

E penso alla tristezza negli occhi di Lucas che ho scorto sin dal giorno in cui l'ho conosciuto,

ma anche questo è diverso.

Divisa tra il verde e il blu, esiste una bellezza indefinibile che la gente chiama umanità.

«Non devi più farlo», sussurro pianissimo, non perché non voglio che qualcuno mi senta, ma perché mi sembra di aver dimenticato come alzare il volume della mia voce. «Non sei obbligato a essermi amico. Non voglio che la gente mi compatisca. Sto davvero bene, al centodieci per cento. Sul serio. Ho capito cosa stai cercando di fare, sei una persona carinissima, anzi, sei perfetto, ma va bene lo stesso, non devi continuare a fare finta. Io sto bene. Non mi serve il tuo aiuto. In qualche modo risolverò questa situazione, e allora starò bene e tutto tornerà come prima».

L'espressione di Michael non cambia. Allunga una mano verso di me e mi asciuga dal viso quella che credo sia una lacrima, non con un gesto romantico, ma come se avessi una zanzara anofele appollaiata sulla guancia. Guarda la lacrima, con aria alquanto confusa, e poi solleva la mano verso di me. Non mi ero accorta di piangere. In realtà non provo tristezza. In realtà non provo niente.

«Io non sono perfetto», dice. Il sorriso c'è ancora, ma non è un sorriso felice. «E non ho amici, tranne te. Nel caso non lo sapessi, sono conosciuto come il re dei fuori di testa; ecco; sì, a volte do l'impressione di essere affascinante ed eccentrico, ma prima o poi la gente capisce che è solo perché ce la metto tutta. Sono sicuro che Lucas Ryan e Nick Nelson possono raccontarti delle fantastiche storie sul mio conto».

Si appoggia sulla sedia. A dire la verità, sembra seccato.

«Se *tu* non vuoi essere amica *mia*, ti capisco perfettamente. Non devi cercare scuse. Lo so benissimo che sono sempre io a cercarti, e a cominciare le nostre conversazioni. A volte tu non dici niente per un'eternità, ma questo non significa che la nostra amicizia si riduca a *me* che cerco di far sentire *te* meglio. Mi conosci abbastanza da saperlo».

Forse sono io a non voler essere amica di Michael Holden. Forse così è meglio.

Rimaniamo seduti per un po'. Prendo un libro a caso dallo scaffale alle mie spalle. È *L'enciclopedia della vita* e sarà in tutto una cinquantina di pagine. Michael avvicina la sua mano ma non per prendere la mia, come mi aspetto. Invece, sposta una ciocca dei miei capelli, che penso sia scivolata sul viso, dietro l'orecchio sinistro e la sistema con cura.

«Lo sapevi», dico a un certo punto per qualche motivo inspiegabile, «che la maggior parte dei suicidi avviene a primavera?». Poi lo guardo. «Non avevi detto di avere novità?».

A quel punto lui si alza e si allontana, esce dalla porta della biblioteca e dalla mia vita, e io sono sicura al cento per cento che Michael Holden si meriti amici migliori della pessimista, psicopatica e introversa Tori Spring.

Tredici

La canzone che si ripete all'altoparlante per tutto giovedì è *The Final Countdown* degli Europe. Per la prima ora quasi tutti sono contenti, ma già alla seconda nessuno grida più «IT'S THE FINAL COUNTDOOOOWN» nei corridoi, e questo con mia grande gioia, sempre che per me sia possibile provare gioia. Zelda e il suo seguito stanno di nuovo pattugliando i corridoi con aria tronfia, strappando dai muri i manifesti che oggi sono corredati da immagini di Nelson Mandela, Desmond Tutu, Abraham Lincoln, Emmeline Pankhurst, Winston Churchill e, sorprendentemente, dei Rage Against the Machine, che a Natale erano primi in classifica. Forse Solitaire sta cercando di offrirci un qualche incoraggiamento positivo.

Nevica forte da quando mi sono svegliata, il che ovviamente genera isterismo e demenza di massa in tutte le studentesse delle classi inferiori e una sorta di depressione collettiva in quelle delle superiori. All'intervallo la maggior parte degli studenti torna a casa e le lezioni sono ufficialmente sospese. Potrei tranquillamente tornarmene anch'io a casa a piedi. Ma non lo faccio.

Domani è il giorno fatidico.

All'inizio di quella che sarebbe dovuta essere la terza ora di lezione, esco dall'edificio scolastico e mi dirigo verso il padiglione di Arte. Mi metto a sedere sulla piccola pendenza erbosa che costeggia il muro di cemento dell'aula; il tetto sopra di me sporge un poco, quindi la neve non mi bagna. Però fa freddo, un freddo che intorpidisce. Uscendo ho preso un grosso termosifone dal dipartimento di Musica e l'ho attaccato alla presa attraverso una finestra dell'aula a pochi metri di distanza. L'ho sistemato accanto a me sulla neve e adesso spara nuvole di calore attorno al mio corpo. Addosso ho tre magliette, i miei due pullover della scuola, quattro paia di collant, stivali, giacca, cappotto, cappello, sciarpa e guanti, e i calzoncini sotto la gonna.

Se non scopro che cosa succederà prima di domani, allora dovrò andare a scuola e assistervi mentre accade. Solitaire vuole combinare qualcosa alla Higgs. È quello che ha sempre fatto, no?

Mi sento stranamente eccitata, probabilmente perché non dormo da un pezzo.

Ieri sera ho guardato un film, *La mia vita a Garden State*. Non fino alla fine, ma un bel pezzo. Mi ha veramente sorpreso il fatto di non averlo visto prima, perché mi è sembrato proprio magnifico da ogni punto di vista, e dico sul serio, l'ho inserito nella lista dei miei film preferiti. Parla di un certo Andrew e non si capisce mai davvero se la vita che fa è deprimente oppure no. Sembra non avere amici né una famiglia decente, ma poi incontra una ragazza (una tipa solare, bella ed eccentrica, la Svampita Ragazza dei Sogni Cinematografici, Natalie Portman, naturalmente), che gli insegna a vivere nel modo giusto.

Ecco, ora che ci penso, non sono mica tanto sicura che il film mi sia granché piaciuto. Era pieno di stereotipi. A dire la verità, forse mi sono fatta prendere dagli effetti speciali. L'inizio mi è piaciuto, soprattutto quando Andrew sogna di trovarsi in mezzo a un disastro aereo. E anche l'inquadratura in cui ha una camicia con motivi identici al disegno della carta da parati alle sue spalle, così che sembra sparire. Quelle scene mi sono piaciute un sacco.

Zach Braff (che ha scritto, diretto, recitato e scelto la colonna sonora) deve aver modellato il film su se stesso, è evidente. Forse è per questo che mi è sembrato tanto reale.

Continuo a digitare il numero di Michael sul cellulare per poi cancellarlo. Dopo circa dieci minuti, mi rendo conto di aver imparato il suo numero a memoria. Mi maledico perché mi sto comportando come un'adolescente scema. Poi schiaccio inavvertitamente il pulsante verde delle chiamate.

Mi prendo a parolacce, rassegnata.

Ma non chiudo.

Porto il telefonino all'orecchio.

Sento il leggero clic della risposta, però lui non dice ciao, né niente. Rimane in ascolto. Mi sembra di sentirlo respirare, ma potrebbe essere il vento.

«Ciao, Michael», dico alla fine.

Niente.

«Intendo parlarti, quindi non puoi riattaccare».

Niente.

«A volte», proseguo, «non riesco a capire se le persone sono sincere o no. Un mucchio di gente fa finta di essere gentile con me, quindi non ne sono mai sicura».

Niente.

«Sono solo...».

«In tutta franchezza sono piuttosto arrabbiato con te, Tori».

Michael sta parlando. Le sue parole vorticano nella mia mente e vorrei voltarmi per vomitare.

«Tu non mi vedi affatto come una persona, vero?», dice. «Sono solo uno strumento che compare sempre al momento giusto per farti smettere di odiare te stessa».

«Questo non è vero», esclamo. «Non è assolutamente vero».

«Dimostralo».

Mi sforzo di dire qualcosa, ma non esce niente. È come se le mie parole fossero bloccate da una coltre di neve, che impedisce loro di uscire. Non riesco a spiegargli che sì, lui mi impedisce di odiarmi tanto, ma che no, non è per questo che voglio essere sua amica più di qualsiasi cosa al mondo.

Accenna una risata. «Sei una vera frana, vero? Te la cavi male con i sentimenti, come me».

Cerco di ricordare quando è stato che Michael ha esternato i suoi sentimenti, ma l'unico episodio che mi viene in mente è quella volta alla pista di pattinaggio, quando era così arrabbiato che sembrava sul punto di esplodere.

«Possiamo vederci?», chiedo. Devo parlargli. Nel mondo reale.

«Perché?»

«Perché…». Di nuovo la voce mi rimane in gola. «Perché… Mi piace… stare… con te».

Segue una lunga pausa. Per un breve istante, mi chiedo se ha riattaccato. Poi sospira.

«Adesso dove sei?», chiede. «Sei tornata a casa?»

«Sono nel campo. Vicino al padiglione di Arte».

«Ma lì è come stare a *Hoth*».

Un riferimento a *Guerre stellari*. Mi prende talmente alla sprovvista che di nuovo non riesco a dire niente.

«Ci vediamo tra un minuto», conclude.

Chiudo la comunicazione.

Michael arriva quasi in un minuto esatto, il che è notevole. Sopra l'uniforme non indossa il cappotto o la sciarpa, niente. Forse è un termosifone in incognito, penso.

Osserva la situazione a qualche metro di distanza. Immagino sia piuttosto divertente e infatti ride.

«Hai portato fuori un *termosifone*?».

Guardo il termosifone. «Sto gelando». Deve pensare che sono pazza. Non ha torto.

«Geniale. *A me* non passerebbe neanche per la testa di fare una cosa del genere».

Si siede accanto a me, appoggiato al muro esterno dell'aula di Arte. Guardiamo il campo. Non è chiaro il punto esatto dove finisce il campo e comincia la cortina di fiocchi di neve. La neve cade lentamente in verticale. Sembra quasi che sulla Terra regni una pace totale, se non fosse per un solitario fiocco di neve che di tanto in tanto si posa sul mio viso.

A un certo punto Michael china lo sguardo sul mio braccio, appoggiato tra noi sulla neve, ma non parla della ferita.

«Volevi raccontarmi le novità», esordisco. È sorprendente che me ne ricordi. «Ma non mi hai ancora detto niente».

Si volta verso di me, il sorriso è sparito. «Ehm, già. Be', non è molto importante».

Questo significa che è importante.

«Volevo solo dirti che tra qualche settimana ho un'altra gara», continua con un certo imbarazzo. «Parteciperò al Campionato mondiale juniores di pattinaggio di velocità». Si stringe nelle spalle e sorride. «Insomma, gli inglesi non vincono mai, ma se faccio un buon tempo, potrei qualificarmi per i Giochi Olimpici Giovanili invernali».

Mi stacco dal muro di scatto. «Porca puttana!».

Lui si stringe di nuovo nelle spalle. «Ho combinato un casino al Campionato nazionale, un paio di settimane fa... però in passato ho fatto di meglio, così hanno deciso di farmi andare».

«Michael», esclamo, «sei letteralmente straordinario».

Si mette a ridere. «Straordinario è solo un'espansione di ordinario».

Invece si sbaglia. Lui è straordinario, straordinario nel senso di magnifico, nel senso di miracoloso.

«Allora ti andrebbe?», chiede.

«Mi andrebbe cosa?», chiedo a mia volta.

«Ti andrebbe di venire? A guardare? Posso portare qualcuno, di solito un genitore, ma, ecco...».

E senza pensare, senza chiedermi se i miei genitori direbbero di sì, senza neanche preoccuparmi per Charlie... «Sì», rispondo. «Okay».

Lui mi sorride, e poi sul suo viso emerge un'espressione che mi provoca una fitta al petto: una specie di pura gratitudine, come se il fatto che andrò con lui sia l'unica cosa importante.

Apro la bocca per iniziare una conversazione seria, ma se ne accorge e alza un dito per fermarmi.

«Stiamo sprecando in modo vergognoso questa bella neve», dice. Mi vedo riflessa nei suoi occhiali.

«Sprecando?».

Salta in piedi e fa qualche passo. «La neve non è fatta solo per essere *guardata*, ti pare?», spiega, e comincia a pressarla in una palla e a passarsela da una mano all'altra.

Io taccio, perché penso che la neve dovrebbe essere fatta proprio per essere ammirata.

«Dài». Mi sorride e mi guarda come un allocco. «Lanciami una palla di neve».

Mi acciglio. «Perché?»

«*Perché sì!*».

«Non ha senso».

«Il senso *è* che non ha senso».

Sospiro. Non avrò la meglio in questa discussione. Mi alzo a malincuore, faccio qualche passo nell'Artico e, con scarso entusiasmo, raccolgo una palla di neve tra le mani. Per fortuna sono destrorsa, quindi il braccio ferito non mi crea problemi. La lancio verso Michael, ma atterra a circa tre metri alla sua destra. Lui la guarda e solleva il pollice verso l'alto con aria solenne e comprensiva. «Ci hai provato».

Qualcosa nel modo in cui lo dice, per nulla condiscendente ma semplicemente *deluso*, mi spinge a guardarlo socchiudendo gli occhi, a raccogliere la neve per un'altra palla e riprovare, questa volta colpendo il bersaglio in pieno petto. Un falso senso di soddisfazione mi sboccia nello stomaco.

Michael alza le braccia al cielo e grida: «Sei viva!».

Lancio un'altra palla, poi lui ne tira una contro di me e scappa via. Ancor prima che io abbia il tempo di rendermi conto di quello che sto facendo, l'azione sfocia in un inseguimento intorno al campo. Cado a più riprese, ma per ben due volte riesco a infilargli la neve dentro la camicia mentre lui mi prende in pieno dietro la nuca, così adesso ho i capelli zuppi, però non ho molto freddo perché stiamo correndo faccia avanti nella bufera, come se al mondo non ci fosse nessuno tranne noi due e la neve, e ancora neve e neve, niente terra, niente cielo, niente di niente. Comincio a chiedermi come faccia Michael a rendere meraviglioso tanto facilmente qualcosa di così gelido, e poi comincio a chiedermi se ci sono molte altre persone come lui, e se, se non fossi tanto occupata a pensare ad altro, potrei essere così anch'io.

Michael Holden accelera, verso di me. Ha un gran mucchio di neve tra le braccia e un sorriso da matto, allora batto di corsa in ritirata ed entro a scuola. Non c'è nessuno in vista e, per un motivo o per l'altro, questo senso di vuoto è meraviglioso. Entro di corsa nell'edificio del *sixth form* e mi precipito verso la sala comune, che è completamente deserta, ma sono troppo lenta. Proprio mentre sto aprendo la porta, lui lascia crollare la neve mezza sciolta sulla mia testa. Io strillo e rido. Rido? *Rido.*

Boccheggiando, mi sdraio a pancia in su sopra una scrivania e appoggio la tastiera del computer sullo stomaco per avere più spazio. Lui si lascia cadere su una sedia girevole e scrolla il capo come un cane bagnato. La sedia scivola all'indietro di qualche centimetro e questo gli fa venire un'altra idea.

«Ecco il prossimo gioco», dice. «Tu devi andare da qui...», fa un gesto verso l'aula di Informatica, «...a lì...», spiega indicando la porta sul lato opposto, oltre il labirinto di tavoli e sedie, «in piedi sopra una sedia girevole».

«Preferirei *non* rompermi l'osso del collo».

«Piantala di fare la rompiscatole. Ti è vietato dire di no».

«Ma quello è il mio slogan».

«Trovane un altro».

Con un lungo sospiro salgo in piedi su una sedia. È molto più difficile di quanto sembri, perché le sedie girevoli non sono solo supertraballanti, ma girano pure su se stesse, è per questo che si chiamano sedie *girevoli*. Trovo l'equilibrio, mi raddrizzo e indico Michael, che è salito in piedi sulla sua sedia e spalanca le braccia con cautela. «Se cado e muoio, stai certo che tornerò a perseguitarti».

Lui fa spallucce. «Non mi dispiacerebbe mica».

Gareggiamo intorno ai tavoli, afferrando le sedie di plastica per trascinarci in avanti. A un certo punto la sedia di Michael si ribalta, ma lui fa un salto spettacolare oltre lo schienale e atterra davanti a me praticamente in ginocchio. Sgrana gli occhi, per qualche secondo ha un'espressione piuttosto sbalordita, poi mi guarda raggiante, spalanca le braccia e grida: «Sposami, mia amata!».

È così buffo che quasi muoio dal ridere. Michael si avvicina e comincia a far girare la mia sedia, non troppo in fretta ma quanto basta, infine la lascia andare. Resto in piedi, e giro e giro sulla sedia con le braccia per aria, la neve oltre le finestre si fonde con la sala buia in un vortice sfocato bianco e giallo. Mentre giro continuo a pensare che tutto sembra tanto triste, ma se questo giorno dovesse passare alla storia, chiunque direbbe che è stata una gran bella giornata.

Abbiamo unito tutte le scrivanie per formare un tavolo enorme e ci siamo distesi al centro, sulla schiena, proprio sotto il lucernario, in modo da poter vedere la neve che cade sopra di noi. Michael intreccia le mani e le posa sullo stomaco, io le lascio rilassare lungo i fianchi. Non ho idea di cosa stiamo facendo o del perché. Credo che lui pensi che il punto è proprio questo. A dire la verità, potrebbe essere tutto frutto della mia immaginazione, e neanche me ne renderei conto.

«Pensiero del giorno», dice Michael. Solleva una mano e mi sfiora la fasciatura, indugiando sui bordi sfilacciati vicino al polso. «Secondo te, se fossimo felici tutta la vita, moriremmo pensando comunque che ci siamo persi qualcosa?».

Per un po' non rispondo. Poi: «Erano tuoi?». Quei messaggi sul blog, quei messaggi che io avevo creduto… «Quei messaggi me li hai mandati tu?».

Sorride senza distogliere lo sguardo dal soffitto. «Che vuoi che ti dica? Il tuo blog è più interessante di quanto pensi, "pessimista cronica"».

L'URL del mio blog. In genere, mi sentirei morire se qualcuno lo scoprisse. Se Becky, o Lauren, o Evelyn o Rita, o una qualsiasi di loro… se scoprissero il sito in cui scrivo cretinate su di me, spacciandomi per un'adolescente tormentata e disgraziata, che elemosina la comprensione di gente che non ha mai visto in carne e ossa…

Giro la testa verso di lui.

Lui mi guarda. «Che c'è?».

Allora, sto quasi per dire qualcosa. Quasi dico qualcosa.

E invece no.

E lui riprende: «Mi piacerebbe assomigliarti di più».

E la neve cade e io chiudo gli occhi e ci addormentiamo insieme.

Mi sveglio, lui se n'è andato e sono al buio. Sola. No, non sola. Qui c'è qualcuno. Qualcuno. Qui?

Riprendo il controllo, comincio a distinguere un bisbiglio di voci dietro la porta della sala comune. Se ne avessi la forza, mi metterei a sedere per guardare. Ma non ce l'ho. Rimango distesa, immobile, e ascolto.

«No», sta dicendo Michael. «Ti sei comportato come una vera merda. Non puoi fare il coglione con una così. Lo capisci come si sente adesso? Lo capisci cos'hai fatto?»

«Sì, ma…».

«O le spieghi tutto o ti stai zitto. O sei sincero o chiudi quella bocca del cazzo. Fare allusioni e poi nasconderti è letteralmente la cosa peggiore che potessi fare».

«Non ho fatto delle allusioni».

«Che cosa le hai detto? Perché lei *sa*, Lucas. Lei *sa* che qualcosa bolle in pentola».

«Ho cercato di spiegare…».

«No, invece. Quindi adesso vai da lei e le racconti tutto quello che mi hai appena detto. Glielo devi, questo. È una persona vera, non un sogno d'infanzia. Lei prova dei sentimenti reali». Poi c'è una lunga pausa. «Cristo santo. Che cazzo di rivelazione».

Non ho mai sentito Michael dire così tante parolacce in una sola conversazione.

Non avevo più sentito Michael e Lucas parlarsi da quella volta al Pizza Express.

Non credo di voler sapere quale sia l'argomento.

Mi metto a sedere, sempre sul tavolo, e mi giro sulla sedia per avere di fronte i ragazzi.

Stanno in piedi davanti alla porta che Michael trattiene con una mano. Lucas mi vede per primo. Poi Michael, che è bianco come un lenzuolo. Afferra saldamente Lucas per la spalla e lo spinge verso di me.

«*Qualsiasi* cosa tu voglia fare», dice rivolto a me, mentre indica implacabile Lucas, «devi parlare con *lui*».

Lucas è terrorizzato. Quasi mi aspetto che si metta a strillare come una ragazzina.

Michael solleva trionfante il pugno in aria, come fosse Judd Nelson.

«TITOLI DI CODA!», urla a squarciagola. E poi esce dalla stanza.

Siamo rimasti soli Lucas e io. Il mio ex migliore amico, il ragazzo che piangeva tutti i giorni, e Tori Spring. In piedi accanto alla mia isola di tavoli, avvolto in una specie di parka indossato sopra la divisa, con la testa coperta da uno di quei berretti di lana muniti di lunghissimi paraorecchie, ha un aspetto davvero ridicolo.

Incrocio le gambe come si fa da piccoli.

Adesso basta con l'imbarazzo. Basta con la timidezza, o la paura di quello che possono dire gli altri. È ora di cominciare a dire quello che ci passa per la testa. Ogni cosa che può bloccarci è scomparsa. Siamo solo persone. È questa la verità.

«Il tuo nuovo amichetto è pazzo», sbotta Lucas con evidente risentimento.

Mi stringo nelle spalle. Michael al Truham. Michael senza amici. «A quanto pare lo sapevano già tutti». Michael il fuori di testa. «A dire la verità, penso sia solo un meccanismo di difesa».

La mia risposta pare sorprendere Lucas. Sbuffo un po' e mi sdraio di nuovo sui tavoli.

«Be', mi devi una spiegazione?», continuo in tono teatrale, ma è troppo buffo e comincio a ridere.

Lui ridacchia, si toglie il berretto, se l'infila in tasca e incrocia le braccia. «A dire la verità, Victoria, non riesco a credere che tu non abbia capito».

«Bene, allora devo essere proprio un'idiota».

«Già».

Silenzio. Restiamo entrambi perfettamente immobili.

«In realtà lo sai», dice facendo un altro passo avanti. «Devi solo rifletterci bene. Devi solo pensare a tutto quello che è successo».

Mi alzo e faccio un passo indietro. Ho la testa completamente annebbiata.

Lucas si arrampica sull'isola di tavoli e avanza verso di me con un certo nervosismo, come se temesse di vederli crollare sotto il suo peso. Prova di nuovo a spiegarsi.

«Ti... ti ricordi quando venivi a casa mia, quando eravamo piccoli?».

Vorrei ridere, ma non ci riesco più. Lui abbassa lo sguardo, vede la fasciatura sul braccio e quasi rabbrividisce.

«Tu eri la mia migliore amica, vero?», dice, ma questo non vuol dire niente. Anche Becky era la mia "migliore amica". Migliore amica. Che cosa significa?

«Come?». Scuoto la testa. «Ma che stai dicendo?»

«Invece te lo *ricordi*», dice, la sua voce è poco più che un sussurro. «Se me lo ricordo io, allora devi ricordartelo anche tu. Raccontami di tutte quelle volte che venivi a casa mia. Dimmi cosa hai visto lì».

Ha ragione, me lo ricordo. Vorrei averlo dimenticato. Era estate, avevamo undici anni e si avvicinava la fine delle elementari. Andavo sempre a casa sua, ci sarò stata almeno un centinaio di volte. Giocavamo a scacchi, ce ne stavamo in giardino, mangiavamo ghiaccioli, correvamo per tutta la casa. Era una casa grande, a tre piani, con un sacco di nascondigli. Era tutto sul beige e avevano un sacco di quadri.

Un sacco di quadri.

Avevano un sacco di quadri.

E ce n'è uno che ricordo.

Quando avevo undici anni, avevo chiesto a Lucas: «Quella del quadro è la strada dei negozi?»

«Già», aveva risposto. All'epoca era più basso di me e aveva capelli biondi chiarissimi. «L'acciottolato della strada dei negozi sotto la pioggia».

«Mi piacciono quegli ombrelli rossi», avevo commentato. «Dev'essere una pioggia estiva».

«Lo credo anch'io».

Il quadro dell'acciottolato bagnato, della strada piena di ombrelli rossi e finestre di caffetterie riscaldate, il quadro che la ragazza mascherata da Doctor Who stava osservando tanto intensamente alla festa di Solitaire: quel quadro era in casa di Lucas.

Il mio respiro accelera. «Quel quadro», chiedo.

Lui tace.

«Ma la festa di Solitaire... quella non era casa tua. Tu non vivi in questa città».

«No», spiega. «I miei genitori lavorano nell'immobiliare. Hanno diverse case sfitte, tra cui quella. Ci mettono i quadri per abbellirle per i clienti».

Di colpo tutto diventa chiaro. «Tu fai parte di Solitaire», dico.

Lui annuisce lentamente.

«L'ho creato io», risponde Lucas. «Io ho creato Solitaire».

Faccio un passo indietro.

«No», dico. «No, non è vero».

«Ho creato io quel blog. Io ho organizzato gli scherzi».

Guerre stellari. Violini. Gatti, Madonna. Ben Hope e Charlie. Fuoco. Bolle. I fuochi d'artificio al Clay, l'incendio e la voce contraffatta? Avrei dovuto riconoscere la sua voce.

Faccio un passo indietro.

«È una bugia».

«No invece».

Faccio un altro passo indietro, ma non ci sono più tavoli, il mio piede incontra l'aria e io cadrei all'indietro nel vuoto se Michael Holden, che è accanto a noi chissà da quanto, non mi afferrasse sotto le ascelle. Mi solleva leggermente e mi posa sul pavimento. Sentire le sue mani sulle braccia mi fa uno strano effetto.

«Puoi...». Non riesco a parlare. Sto soffocando, ho la gola stretta. «Sei, sei un sadico...».

«Lo so, mi dispiace, alla fine mi è un po' sfuggito di mano».

«*Un po' sfuggito di mano?*», scoppio in una risata stridula. «Sarebbe potuto *morire* qualcuno».

Sono tra le braccia di Michael. Mi libero, risalgo sui tavoli e risoluta vado ad affrontare Lucas, che sembra farsi piccolo piccolo.

«Tutti quegli scherzi erano collegati a me, vero?». Lo sto dicendo più a me stessa che a lui. Michael lo aveva capito fin dall'inizio. Perché è intelligente, è così intelligente. E io, siccome sono io, ho dato retta solo a me stessa.

Lucas annuisce.

«Perché hai creato Solitaire?», gli chiedo.

È senza fiato. Fa una smorfia e deglutisce. «Sono innamorato di te», dice.

In quel momento prendo in considerazione diverse opzioni. Una è mollargli un pugno in faccia, l'altra è saltare dalla finestra. Scelgo la fuga e adesso mi ritrovo a correre.

Non si prende di mira una scuola intera perché ti sei innamorato di qualcuno. E non si spinge tutta la gente riunita in una festa ad aggredire un ragazzo perché ti sei *innamorato di qualcuno*.

Corro dentro la scuola, entro ed esco da aule dove non sono mai stata prima, attraverso corridoi bui e deserti dove non passo più da anni. Nel frattempo Lucas si è lanciato al mio inseguimento, gridando che vuole spiegarsi meglio, come se ci fosse altro da spiegare. Non c'è nient'altro da spiegare. È uno psicopatico. Come tutti. Non gli importa di ferire la gente. Come tutti.

Mi ritrovo in un angolo cieco del dipartimento di Arte. Solo due giorni fa mi sono arrampicata sul suo tetto, oggi mi sono seduta lì fuori. Corro per la stanza, cercando disperatamente un posto dove andare, mentre Lucas, affannato, resta sulla soglia. Le finestre sono troppo piccole per saltar fuori.

«Mi dispiace», dice boccheggiando con le mani sulle ginocchia. «Mi dispiace, è successo troppo in fretta. Non aveva senso».

Faccio una risata stridula. «Oh, *davvero?*».

«Posso spiegarmi meglio?».

Lo guardo. «È la spiegazione definitiva?».

Lui si raddrizza. «Sì, sì, è definitiva».

Mi siedo su uno sgabello. Lui si siede su quello accanto. Mi scosto un po', ma non dico niente. Lucas comincia la sua storia.

«Non ti ho mai dimenticato. Ogni volta che passavamo in macchina nella tua strada guardavo casa tua e pregavo che tu uscissi dalla porta proprio in quel momento. Immaginavo un sacco di storie nella mia testa, che ti avrei chiamato e saremmo tornati di nuovo amici, tipo, che ci saremmo trovati su Facebook, avremmo cominciato a chattare e poi ci saremmo dati appuntamento. Oppure che ci saremmo incontrati per caso da qualche parte, nella via dei negozi, a una festa, non so. Crescendo, ti sei trasformata, ecco, in una ragazza speciale, la ragazza con cui avrei finito per avere una grande storia d'amore. All'inizio siamo amici d'infanzia, c'incontriamo di nuovo da grandi e… fine della storia. Per sempre felici e contenti. Come un film. Ma tu non sei la Victoria che avevo in testa. Non so, sei una persona diversa. Un'altra che non conosco. Non so cos'avevo in mente. Senti, io non sono uno stalker o un maniaco, sono venuto alla Higgs l'altro trimestre per fare un giro, per vedere se mi piaceva la scuola, ecco. Michael mi ha accompagnato, mi ha fatto vedere l'edificio e l'ultimo posto in cui sono entrato… era la sala comune. Ed è stato lì, ehm, che ti ho visto. Seduta proprio davanti a me. Ho pensato che mi sarebbe venuto un infarto. Eri al computer, mi davi le spalle. Eri al computer, a giocare a Solitaire. E sembravi così… avevi una mano appoggiata alla testa mentre con l'altra continuavi a cliccare e cliccare il mouse, insomma sembravi proprio *morta*. Sembravi stanca e morta. E continuavi a ripetere sottovoce: "Mi odio, mi odio, mi odio". Non abbastanza forte da farti sentire dagli altri, ma io ti ho sentito».

Non me lo ricordo. Non ricordo per niente quella giornata.

«Detto così sembra sciocco. Probabilmente eri solo stressata per i compiti o qualcos'altro, ma non sono più riuscito a smettere di pensarci. Allora hanno cominciato a venirmi un sacco di idee, ho pensato che forse ti odiavi davvero. E ho odiato la tua scuola perché ti faceva quell'effetto. L'idea mi ha fatto davvero infuriare ed è allora che ho inventato Solitaire. Ho parlato con un tizio che conoscevo, uno che prima stava al Truham e poi era passato alla Higgs, e abbiamo deciso di organizzare qualche scherzo. Mi ero fissato su un'idea pazzesca, davvero *pazzesca*, e cioè che qualche scherzetto divertente potesse portare un po' di luce nella tua vita. E nella vita di tutti. Quindi, sì, ho organizzato io la faccenda di Ben Hope, ero così arrabbiato per quello che era successo a Charlie. Ben se lo meritava. Ma poi... poi è successa quella storia al Clay. Qualcuno è rimasto ferito. *Tu* sei rimasta ferita. Abbiamo perso il controllo, quindi ho chiuso. Da domenica non ho fatto più *niente*. Adesso però ci sono una marea di seguaci. Abbiamo fatto in modo che la gente prendesse il gioco molto sul serio, convincendosi di essere anarchica o che so io, con i manifesti, i fuochi d'artificio e quegli stupidi slogan. Ma ora non lo so, non so proprio che fare. Michael mi ha trovato circa mezz'ora fa. Lo so che ora mi odierai. Ma... sì, ha ragione lui. Per te sarebbe peggio non sapere nulla».

Le lacrime cominciano a rigargli il viso e io non so cosa fare. Come quando eravamo piccoli. Lacrime sempre silenziose.

«Sono un essere umano della peggior specie», conclude Lucas. Appoggia un gomito sul tavolo e distoglie lo sguardo da me.

«Be', da me non avrai alcuna comprensione», dico.

Perché ha rinunciato. Lucas ha rinunciato. Ha lasciato che quegli stupidi sentimenti immaginari prendessero il controllo della sua vita, e ha lasciato accadere delle cose brutte, delle cose molto brutte, che ne hanno fatte accadere delle altre altrettanto brutte. Così va il mondo. Per questo non si deve mai permettere ai sentimenti di governare il nostro comportamento.

Sono arrabbiata.

Sono arrabbiata perché Lucas non ha lottato contro i suoi sentimenti.

Ma è così che va il mondo.

Lucas si rialza e io mi tiro indietro.

«Stai lontano da me», dice la mia voce, come se lui fosse un animale idrofobo. Non riesco a credere che ci sia voluto tanto perché capissi la verità. Lui non è più Lucas Ryan per me.

«Victoria, ti ho visto quel giorno e ho creduto che la ragazza di cui ero innamorato da sei anni si sarebbe suicidata».

«Non mi toccare. Stai lontano da me».

Nessuno è sincero, nessuno è reale. Non puoi fidarti di niente e nessuno. Le emozioni sono la malattia fatale dell'umanità. E stiamo tutti morendo.

«Ascolta, non faccio più parte di Solitaire…».

«Eri così *innocente* e *impacciato*». Parlo e do voce a una sfilza di pensieri maniacali e precipitosi. Non so perché sto dicendo queste cose, in realtà non è con Lucas che sono arrabbiata. «Immagino che tu abbia pensato di essere romantico, con i tuoi libri e i tuoi vestiti da hipster del cazzo. Perché non dovrei essere innamorata di te? Non hai fatto altro che tramare e fingere». Perché mi sorprendo? Lo fanno tutti.

Improvvisamente so esattamente cosa fare.

«Domani», gli chiedo, «che cosa farà domani Solitaire?».

Ho la possibilità di fare qualcosa. Finalmente ho la possibilità di mettere fine a tutto questo dolore. È meraviglioso.

Lui non risponde, allora grido. «*Dimmelo!* Dimmi cosa succederà domani!».

«Non lo so esattamente», risponde Lucas, ma credo che stia mentendo. «So solo che si devono vedere a scuola alle 6 di mattina».

Ci sarò anch'io. Domani alle sei. Manderò tutto all'aria.

«Perché non me l'hai detto prima?», mormoro. «Perché non l'hai detto a nessuno?».

Non ricevo risposta. Non può rispondere.

La tristezza incombe, come un temporale.

E io comincio a ridere come un serial killer.

Rido e corro via. Corro fuori dalla scuola. Corro attraverso questa città morta. Corro, e penso che forse il dolore finirà, ma dentro continua a bruciare, fino in fondo.

Quattordici

Il 4 febbraio cade di venerdì. Nel Regno Unito si registra la nevicata più forte dal 1963. Nascono all'incirca trecentosessantamila persone e i fulmini colpiscono la Terra 518.400 volte. Muoiono 154.080 persone.

Scappo da casa mia alle 5:24. Stanotte non ho guardato nessun film, non c'era niente di interessante. Tra l'altro la mia camera mi faceva sclerare, perché avevo tirato giù tutti i post di Solitaire e il tappeto sembrava un prato di carta e Blu Tack. Insomma, sono rimasta seduta sul letto senza fare niente. Poi mi sono messa addosso sopra la divisa più roba possibile e mi sono armata di torcia, cellulare e una lattina chiusa di limonata diet, che probabilmente non berrò. Mi sento leggermente intontita perché non dormo da circa una settimana, ma è un'instabilità positiva, un'instabilità estatica, un'invincibile, infinita instabilità.

Ieri sera alle otto è apparso un post sul blog di Solitaire.

20:00
3 febbraio

Solitariani.

Domani mattina all'Harvey Greene Grammar School avrà luogo la più grande operazione di Solitaire. Siete cordialmente invitati. Grazie a tutti per il vostro sostegno in questo trimestre.

Speriamo di aver aggiunto qualcosa a un inverno che altrimenti sarebbe stato molto noioso.

La pazienza uccide.

Di colpo provo l'impulso di chiamare Becky.

«…pronto?».

Becky dorme con il cellulare in modalità vibrazione accanto alla testa. Lo so perché mi ha detto che i ragazzi di notte la svegliavano con i loro messaggini.

«Becky. Sono Tori».

«Oddio. Tori». Non sembra molto sveglia. «Perché… mi chiami… alle cinque di mattina…?»

«Sono le sei meno venti».

«Be', questo cambia tutto».

«C'è una differenza di quaranta minuti. Si possono fare un sacco di cose in quaranta minuti».

«Senti… perché… mi hai chiamato…?»

«Per dirti che mi sento molto meglio».

Pausa. «Bene… questo è bello, ma…».

«Già, lo so. Mi sento molto, molto, molto bene».

«Allora… non dovresti essere a letto?»

«Sì, sì, ci andrò, quando avrò risolto la questione una volta per tutte. Succederà stamattina, Solitaire, voglio dire».

Seconda pausa. «Aspetta». Ora è sveglia. «Aspetta. Cosa… dove sei?».

Mi guardo intorno. Ci sono quasi arrivata ormai. «Sto andando a scuola. Perché?»

«Oddio!». Si sente un certo stropiccìo mentre si mette a sedere nel letto. «Gesù, che cazzo stai facendo?!».

«Ti ho già detto…».

«TORI! TORNA A CASA E BASTA!».

«*Torna a casa*». Mi metto a ridere. «A fare cosa? A piangere un altro po'?»

«MA SEI COMPLETAMENTE PAZZA? SONO LE CINQUE! COSA STAI CERCANDO DI…».

Smetto di ridere e schiaccio il pulsante rosso, perché mi sta facendo venir voglia di piangere.

Attraverso la città in fretta, con i piedi che affondano nella neve. Sono sicura che a un certo punto farò un passo e il piede non si fermerà, continuerò a sprofondare nella neve fino a sparire del tutto. Se non fosse per le luci della strada sarebbe buio pesto, ma le luci dipingono il bianco di un fioco bagliore giallastro. La neve sembra malata, infetta.

Quindici minuti dopo passo attraverso una siepe per entrare a scuola, perché i cancelli all'entrata sono chiusi. Mi procuro un gran bel graffio in faccia e, dopo attenta ispezione usando lo schermo del cellulare, decido che in fondo mi piace.

Il parcheggio è deserto. Arranco nella neve verso l'entrata principale e, mentre mi avvicino, vedo che il portone è socchiuso. Entro e noto immediatamente la cassetta bianca dell'allarme antifurto e antincendio sul muro, o quella che era una cassetta bianca sul muro. È stata strappata e penzola sull'intonaco, appesa solo a un paio di fili. Gli altri sono stati tagliati tutti. La guardo per qualche istante e poi imbocco un corridoio.

Loro sono qui.

Vago per un po', come lo Spirito del Natale Passato. Ripenso all'ultima volta in cui ero qui a un'ora insulsa, settimane fa, con i capoclasse e Zelda, e il video del violino. Sembra passato tanto tempo. Adesso tutto sembra più freddo.

Mentre mi avvicino alla fine del corridoio, comincio a sentire un mormorio incomprensibile provenire dall'aula di Inglese, l'aula del professor Kent. Mi appiattisco come una spia contro il muro vicino alla porta. Dal riquadro di plastica della porta proviene un debole chiarore. Lentamente, facendo molta attenzione, sbircio dentro.

Mi aspetto di vedere un'orda di galoppini di Solitaire, invece scorgo tre sagome rannicchiate vicino a un gruppo di tavoli in mezzo all'aula, illuminati da un'enorme torcia elettrica appoggiata sul tavolo e puntata verso l'alto. La prima è il tipo dal folto ciuffo che ho visto con Lucas un centinaio di volte, con un look da hipster molto alla Lucas: pantaloni a tubo, scarpe da barca, bomber e polo Ben Sherman.

La seconda è Evelyn Foley.

Ciuffo la cinge con un braccio. Oh. Il ragazzo segreto di Evelyn è Ciuffo. Ripenso al Clay. La voce di Solitaire forse era quella di una ragazza? Ma fa troppo freddo per ricordare qualcosa, così mi concentro sulla terza sagoma.

Lucas.

Ciuffo ed Evelyn pare che facciano comunella contro di lui. Lucas sta sussurrando in fretta qualcosa a Ciuffo. Mi aveva detto di non far più parte di Solitaire, no? Forse dovrei fare irruzione nell'aula e cominciare a gridare. Agitando il cellulare. Minacciando di chiamare la polizia. Forse...

«*Ommioddio!*».

All'altro capo del corridoio, Becky Allen appare d'improvviso e io quasi collasso. Mi punta contro un dito accusatorio e sibila: «Lo sapevo che non saresti tornata a casa!».

Con occhi annebbiati e febbrili, mi guardo intorno freneticamente mentre lei percorre precipitosamente il corridoio. Un attimo dopo mi è accanto, con i pantaloni del pigiama con il logo di Superman infilati in almeno tre paia di calze e gli stivali imbottiti, felpa, cappotto e indumenti di lana di tutti i generi. Lei è qui. Becky è venuta qui. Per me. Ha un'aria molto strana senza trucco e con i capelli violacei raccolti in una specie di bulbo unto, e io non so perché, o come, ma sono veramente *sollevata* che sia qui.

«Ommioddio, tu sei pazza», sussurra. «Sei. Una. Psicotica». Quindi mi abbraccia e io mi lascio stringere, e per qualche secondo sento che siamo veramente amiche. Poi mi lascia andare, si ritrae e trasale. «Bella, cos'hai fatto alla *faccia*?». Solleva un braccio e mi strofina forte la guancia con la manica e quando la ritira è macchiata di rosso. Allora mi sorride e scuote la testa. Mi ricorda la Becky che conoscevo tre anni fa, prima dei ragazzi, prima del sesso, prima dell'alcol, prima che cominciasse ad andare avanti mente io rimanevo esattamente dov'ero.

Indico la porta dell'aula di Inglese. «Guarda dentro».

Si avvicina in punta di piedi. E spalanca gli occhi inorridita. «*Evelyn?* Ma ch… E perché *Lucas*…». Di colpo capisce e rimane a bocca aperta. «Questo è… questo è *Solitaire*?». Si volta verso di me e scuote la testa. «È troppo complicato per quest'ora del giorno. Non sono neanche sicura di essere sveglia».

«*Sssh*». Sto cercando di sentire cosa stanno dicendo. Becky si tuffa all'altro lato della porta e rimaniamo in piedi, nascoste nel buio, ai due lati della soglia. Cogliamo vaghi stralci di una conversazione. Sono le 6:04.

«Vedi di tirare fuori le palle, Lucas», è Evelyn. Indossa un paio di short di jeans a vita alta, con le calze, e giacca Harrington. «Non sto scherzando. Ci dispiace *moltissimo* di strapparti alla tua coperta elettrica e a Radio 4, ma dovresti *tirare fuori le palle*».

Il viso di Lucas, striato dall'ombra, si contrae in una smorfia. «Vorrei ricordarti che sono stato *io* a dare l'avvio a Solitaire, quindi le mie palle sono fuori questione, grazie».

«Già, l'hai cominciato tu», interviene Ciuffo. È la prima volta che lo vedo bene, e per uno con una massa di capelli simile, è veramente basso. Accanto a lui, sul tavolo, c'è una borsa della spesa di Morrison. La sua voce è di gran lunga più ricercata di quanto mi aspettassi. «E te ne sei andato proprio quando abbiamo cominciato a fare azioni che avessero *veramente un senso*. Stiamo facendo qualcosa di grande, e invece eccoti qui a dire che tutto quello per cui *tu* hai lavorato è, cito testualmente, "una cazzata bella e buona"».

«Io non ho agito per questo», scatta Lucas. «Credevo che fare un po' di casino a scuola avrebbe fatto bene a tutti».

«Il casino alla Higgs», risponde Ciuffo, «è la cosa migliore che sia mai successa in questa città».

«Ma questo non aiuterà nessuno, non cambierà niente. Cambiare il contesto non fa cambiare le persone».

«Piantala con le stronzate, Lucas». Evelyn scuote la testa. «Tu non sei Gandhi, tesoro».

«Non è possibile che tu non capisca quanto è imbecille questa idea», insiste Lucas.

«Dammi l'accendino», intima Ciuffo.

Becky, con i palmi incollati alla parete come l'Uomo Ragno, si volta di scatto. «*Accendino?*», mima con le labbra.

Mi stringo nelle spalle. Guardo meglio Lucas e mi accorgo che dietro la schiena stringe quella che a prima vista sembra una pistola, ma in realtà è solo uno di quegli accendini gadget.

Con un accendino si può fare una cosa sola.

«No», risponde Lucas, ma perfino da questa distanza si capisce che è nervoso. Ciuffo si lancia verso il braccio di Lucas, che all'ultimo momento fa un passo indietro. Ciuffo comincia a ridere come un genio malefico.

«Be', *cazzo*», riprende Ciuffo, «dopo tutta la fatica che hai fatto, ora non ti interessa altro che rubare la nostra roba e dartela a gambe. Come un moccioso. Perché sei *venuto qui*, allora? Perché non sei andato a denunciarci, come fanno i mocciosi?».

Lucas si limita a spostare il peso da una gamba all'altra e non risponde.

«Dammi l'accendino», taglia corto Ciuffo. «Ultimo avviso».

«Vaffanculo», gli risponde Lucas.

Ciuffo si porta una mano alla faccia e si strofina la fronte sospirando. «Cristo». Poi, come se qualcuno avesse azionato un interruttore nel suo cervello, fa scattare il pugno alla velocità della luce e colpisce Lucas in pieno viso.

Con dignità sorprendente, lui non cade: si raddrizza in tutta la sua altezza e guarda il suo ex compagno con aria impassibile.

«*Vaffanculo*», ripete.

Ciuffo lo colpisce allo stomaco, questa volta facendolo piegare in due. Lo afferra per il braccio con facilità e gli strappa via la pistola-accendino, poi lo prende per il colletto, gli punta la canna sul collo e lo spinge contro il muro. Probabilmente crede di sembrare una sorta di boss della mafia, ma il fatto che abbia la faccia di un ragazzino di sette anni e la voce di David Cameron non lo aiuta.

«Non potevi *lasciar perdere*, vero? Non potevi farti gli affari tuoi?».

È ovvio che non premerà il grilletto e non darà fuoco al collo di Lucas. È ovvio anche per lui. È ovvio per tutti quelli che hanno mai vissuto e per tutti quelli che mai vivranno che Ciuffo non ha la forza, la volontà o la cattiveria di ferire seriamente un ragazzo in qualche modo innocente come Lucas Ryan. Ma immagino che, se qualcuno ti sta puntando una pistola-accendino alla gola, cose del genere non sono evidenti quanto dovrebbero.

Becky non è più accanto a me. Spalanca la porta con un calcio da karateka.

«Okay, belli, fatela finita. Subito. Fatela finita con questo delirio».

Si allontana a grandi passi dal nostro nascondiglio, alzando una mano in aria. Evelyn emette una specie di squittio, Lucas scoppia in una risata di trionfo, Ciuffo molla il colletto di Lucas e fa un passo indietro, come se Becky potesse arrestarlo lì per lì.

La seguo dentro l'aula e me ne pento subito. Lucas mi vede e smette di ridere.

Becky li raggiunge a passo di carica e si posiziona direttamente tra Lucas e la pistola accendino. Con il viso struccato sembra una pallida guerriera dagli occhi sottili.

«Oh, tesoro». Sospira guardando Ciuffo e china la testa di lato, con aria falsamente comprensiva. «Credi proprio di mettere paura, vero? In nome di Dio, dove hai *rimediato* quella schifezza? Su eBay?».

Ciuffo cerca di smontarla con una risata, ma non ce la fa. Gli occhi di Becky mandano lampi. Tende le mani verso di lui.

«Forza, fallo». Le sopracciglia si sono inarcate fin sotto l'attaccatura dei capelli. «Avanti. Dammi fuoco ai capelli, se ti va. Sono abbastanza curiosa di vedere se ce la farai a premere quel grilletto».

Ciuffo cerca disperatamente di pensare a qualcosa di fico da ribattere. Dopo qualche istante d'imbarazzo indietreggia inciampando, afferra la borsa del supermercato, c'infila dentro l'accendino e schiaccia il grilletto. La fiamma dell'accendino brilla aranciata per circa due secondi, poi Ciuffo lo tira via per lanciare platealmente la borsa verso la libreria dell'aula. Qualsiasi cosa ci sia all'interno della borsa comincia a fumare e a crepitare.

Tutti guardano la borsa.

Il fumo si assottiglia gradualmente. La borsa di plastica si raggrinzisce un po' prima di cadere capovolta dalla libreria sul pavimento con un tonfo.

Un lungo silenzio occupa lo spazio.

Alla fine Becky piega la testa all'indietro e ride fragorosamente. «Ommioddio! Ommioddio!».

Ciuffo non ha più niente da dire. Non è possibile cancellare quanto è appena accaduto. Credo che sia davvero la cosa più stupida a cui io abbia mai assistito.

«*Questo* è il gran finale di Solitaire!». Becky continua a ridere. «Ommioddio, sei davvero il più patetico hipster che abbia mai conosciuto. Grazie a te, l'aggettivo "patetico" acquista un significato completamente nuovo».

Ciuffo solleva l'accendino e lo agita un po' in direzione della borsa, come se volesse provarci di nuovo, ma Becky lo afferra violentemente per il polso e con l'altra mano gli strappa l'arma. La agita in aria e tira fuori il cellulare dalla tasca del cappotto.

«Stronzo, fai un solo passo verso quella borsa di plastica e chiamo la polizia». Inarca le sopracciglia come un'insegnante delusa. «Non credere che non sappia come ti chiami, *Aaron Riley*».

Ciuffo, o Aaron Riley o chiunque sia, contrattacca: «Pensi che crederebbero a una puttana?».

Becky rovescia la testa all'indietro per la seconda volta. «Oh, ragazzi. Ho conosciuto così *tante* teste di cazzo come te». Gli dà un buffetto sul braccio. «Sei proprio un duro, bello. Ben fatto».

Lancio una rapida occhiata a Lucas, ma lui sta fissando Becky e scuote la testa con aria assente.

«Siete tutti uguali», insiste Becky. «Voi deficienti, che pensate basti atteggiarsi a intellettuali per dominare il mondo. Perché non te ne vai a casa a lamentarti sul tuo blog come fa la gente *normale*?». Fa un passo verso di lui. «Insomma, che stai cercando di dimostrare? Che sta cercando di dimostrare Solitaire? Pensate forse di essere migliori degli altri? State cercando di dimostrare che la scuola non serve a niente? State cercando di insegnarci i princìpi morali o come essere migliori? State cercando di dire che basta fregarsene di tutto, smuovere un po' di merda, incollarsi un sorriso sulla faccia, allora la vita sarà meravigliosa? È *questo* che Solitaire sta cercando di fare?».

Emette un grido di esasperazione mostruoso che mi fa sobbalzare. «La tristezza è un'emozione umana naturale, razza di *cazzone* al quadrato».

Evelyn, che era rimasta a guardare a labbra strette, alla fine sbotta. «Perché ci giudichi? Non riesci neanche a capire cosa stiamo facendo».

«Oh, Evelyn. Davvero. Solitaire? Tu stai in Solitaire?». Becky comincia ad accendere e spegnere l'accendino. Forse è instabile quanto me. Evelyn indietreggia, intimidita. «E *questo* cazzone era il tuo ragazzo segreto fin dall'inizio? Ha più gel in testa di quanto ne abbia usato io in tutto l'anno *scorso*, Evelyn!». Scuote la testa come una vecchia stanca. «Solitaire. Che cavolo. Mi sembra di essere di nuovo alle medie».

«Perché ti comporti come se fossi tanto speciale?», protesta Evelyn. «Credi di essere migliore di noi?».

Becky ride fragorosamente e infila la pistola-accendino nei pantaloni del pigiama. «Migliore? Ah. Ho fatto qualche carognata alla gente, e ora l'ammetto. E sai una cosa, Evelyn? Forse voglio essere più che speciale. Forse, a volte, ho voglia di esprimere le emozioni che provo veramente, invece di dover dissimulare dietro la maschera felice e sorridente che indosso tutti i giorni solo per dare l'impressione alle stronze come te di non essere *noiosa*».

Punta di nuovo il dito verso di me come se stesse perforando l'aria. «A quanto pare, Tori ha capito quello che state cercando di fare. Non ho idea del perché stiate cercando di distruggere la nostra scuoletta del cazzo, ma Tori pensa che, ecco, nell'insieme, quello che state facendo è sbagliato, e *io sono d'accordo con lei, cazzo*». Lascia ricadere il braccio. «Dio santo, Evelyn, tu mi fai veramente incazzare. E Cristo, le Creepers sono le scarpe più brutte che abbia mai visto. Torna al tuo blog o a Glastonbury o da dove cazzo sei venuta, e *restaci*».

Ciuffo ed Evelyn lanciano a Becky un ultimo sguardo inorridito prima di arrendersi.

È ammirevole, per certi versi.

Perché di solito le persone sono molto ostinate e detestano che qualcuno dimostri loro che hanno torto. Credo che sapessero entrambi che quello che stavano per fare *era* sbagliato, e forse sotto sotto non avevano neppure il fegato di andare fino in fondo. Forse, in ultima ipotesi, non sono mai stati loro i veri antagonisti. Ma se non sono loro, allora chi?

Seguiamo lentamente la coppia fuori dall'aula e lungo il corridoio. Li guardiamo allontanarsi e uscire dalle doppie porte. Al posto loro, probabilmente cambierei subito scuola. Tra un minuto se ne saranno andati. Andati per sempre. Saranno scomparsi.

Restiamo lì per un po', senza dir niente. Dopo qualche minuto comincio a sudare. Forse sono arrabbiata. No. Non provo nessuna emozione.

Lucas, in piedi accanto a me, si volta. I suoi occhi sono grandi, azzurri e devoti. «Victoria, perché sei venuta qui?»

«Quei due ti avrebbero fatto del male», spiego, ma entrambi sappiamo che non è vero.

«Perché sei venuta?».

Tutto è così confuso.

Lucas sospira. «Be'. È finita, finalmente. Becky ci ha salvati tutti».

Becky sembra in preda a una sorta di stordimento, è accasciata sul pavimento con la schiena appoggiata alla parete del corridoio, le gambe con il logo di Superman aperte a forbice davanti a sé. Tiene la pistola-accendino davanti al viso, l'accende e la spegne davanti agli occhi, e riesco appena a sentirla mentre borbotta: «Questo è l'accendino più pretenzioso che abbia mai visto... è così *presuntuoso*...».

«Sono perdonato?», chiede Lucas.

Forse sverrò. Mi stringo nelle spalle. «Tu non sei sul serio innamorato di me, vero?».

Batte gli occhi e non mi guarda. «Ehm, no. In realtà non era amore. Era... credevo di aver bisogno di te... per qualche motivo...». Scuote la testa. «In realtà penso che Becky sia davvero carina».

Cerco di non vomitare o di non trafiggermi con le chiavi di

casa. Contraggo il viso in un sorriso, come un clown mecca-
nico. «Ah, ah, ah! Tu e il resto del sistema solare!».

L'espressione di Lucas cambia, come se finalmente capisse
chi sono.

«Potresti smettere di chiamarmi Victoria?», insisto.

Si allontana da me di qualche passo. «Sì, certo. Tori».

Comincio a sentire caldo. «Volevano fare quello che penso?».

Lo sguardo di Lucas continua a vagare. Non mi guarda. «Volevano bruciare la scuola», ammette.

Sembra quasi divertente. Un altro sogno dell'infanzia. Se avessimo dieci anni, forse ci saremmo divertiti all'idea della scuola in
fiamme, perché avrebbe significato niente più scuola, o no? Ma
adesso sembra solo una cosa violenta e inutile. Violenta e inutile
come tutto quello che ha fatto Solitaire. E allora capisco una cosa.

Faccio dietrofront.

«Dove stai andando?», mi chiede Lucas.

Percorro di nuovo il corridoio per tornare nell'aula di Kent
e il caldo aumenta man mano che mi avvicino.

«Cosa stai facendo?».

Guardo nell'aula. E mi chiedo se ho perso la mia battaglia.

«Tori?!».

Mi volto verso Lucas, fermo all'altro capo del corridoio, e lo
guardo. Lo osservo ben bene.

«Vattene», dico, forse troppo piano.

«Che cosa?»

«Prendi Becky e uscite di qui».

«Aspetta, cosa stai…».

E allora vede il bagliore arancione che mi illumina di lato.

Il bagliore arancione proviene dall'incendio che divampa
nell'aula di Kent.

«Cazzarola», esclama lui, poi io corro lungo il corridoio verso
l'estintore più vicino, comincio a strattonarlo, ma non vuole
staccarsi dal muro.

Allora si sente uno scricchiolio terrificante. La porta dell'aula si è spaccata e brucia vivacemente.

Lucas mi ha raggiunto accanto all'estintore, ma per quanto tiriamo non riusciamo a staccarlo dalla parete. L'incendio striscia fuori dall'aula e sale su per le presentazioni appese al muro, il soffitto continua a riempirsi di fumo.

«Dobbiamo uscire di qui!», grida Lucas sopra il ruggito delle fiamme. «Non possiamo fare niente!».

«Sì che *possiamo*». Dobbiamo farlo. Dobbiamo fare qualcosa. Io devo fare qualcosa. Lascio l'estintore e m'inoltro nella scuola. Ce ne sarà un altro nel prossimo corridoio. Nel corridoio di Scienze.

Becky salta in piedi e scatta per corrermi dietro, come Lucas, ma un gigantesco pannello sulla parete improvvisamente crolla in un mucchio ardente di carta e puntine bloccando il corridoio. Non riesco a vederli. Il tappeto prende fuoco e le fiamme cominciano ad avanzare verso di me...

«TORI!», grida una voce. Non so chi è stato e non m'importa. Individuo l'estintore e questo si stacca docilmente dal muro. Sopra c'è scritto "ACQUA", ma anche "ADATTO ALL'IMPIEGO SU FIAMME ALIMENTATE DA LEGNO, CARTA, STOFFA, NO FILI ELETTRICI". Le fiamme bordeggiano il corridoio, le pareti, il soffitto, il pavimento, e mi costringono a indietreggiare. Ci sono luci, prese elettriche ovunque...

«TORI!». Questa volta la voce è dietro di me. Sento due mani sulle spalle e mi volto con un salto come se fosse la Morte in persona.

Ma non è lei.

È lui, con la sua maglietta, i jeans, gli occhiali, i capelli, le braccia, le gambe, gli occhi, tutto...

È Michael Holden.

Mi strappa l'estintore dalle braccia... E lo lancia fuori dalla finestra più vicina.

Quindici

Vengo spinta per il corridoio fino a essere lanciata fuori attraverso l'uscita antincendio più vicina. Come abbia fatto Michael a sapere che eravamo qui, è un mistero. Che cosa ci stava facendo, non lo so. Ma io devo fermare l'incendio. Devo tornare lì. Se non posso fare niente, allora sarà stato inutile. Tutta la mia vita. Tutto. Niente.

Cerca di afferrarmi, ma sono praticamente un siluro. Rientro di corsa dall'uscita antincendio e imbocco il corridoio, lontana dalle fiamme che incombono, in cerca di un altro estintore. Sono quasi in iperventilazione, non vedo niente e corro così forte che non ho idea di dove si trovi questo corridoio all'interno della scuola. Riprendo a correre all'impazzata.

Però Michael corre come se avesse i pattini. Mi afferra alla vita, proprio mentre strappo l'estintore dal muro, proprio mentre il fuoco supera l'uscita antincendio e avanza da ogni lato su di noi...

«TORI! DOBBIAMO USCIRE, SUBITO!».

Il fuoco fa affiorare il viso di Michael dal buio. Mi dimeno convulsamente nella sua stretta e mi lancio in avanti, ma lui chiude la mano sul mio braccio, lo stringe e comincia a trascinarmi via; prima che mi renda conto di cosa sto facendo libero il braccio con uno strattone, così forte che la pelle mi brucia. Gli urlo qualcosa, spingo, ruoto la gamba di scatto e gli assesto un calcio nello stomaco. Devo averlo colpito forte, perché lui inciampa all'indietro stringendosi la pancia. Capisco all'istante quello che ho fatto, mi gelo e lo guardo nella luce arancione. I nostri sguardi s'incrociano e lui sembra *comprendere* qualcosa, e io vorrei ridere, perché sì, insomma ha capito, proprio come Lucas alla fine, e io gli tendo le braccia…

E allora vedo il fuoco.

L'inferno nel laboratorio di Scienze alla nostra destra. Il laboratorio di Scienze che è collegato a quell'aula di Inglese da un'unica entrata, che le fiamme devono aver superato prendendola d'assalto ruggendo.

Faccio un salto verso Michael e lo spingo via…

E l'aula esplode verso l'esterno: tavoli e sedie accartocciati, libri trasformati in palle di fuoco volanti. Sono a terra, a diversi metri di distanza, miracolosamente viva, e apro gli occhi ma non vedo niente. Michael è perso da qualche parte vicino a me nel fumo. Retrocedo carponi mentre la gamba di una sedia sfreccia oltre la mia guancia, e grido il suo nome, non so se è vivo o…

Mi alzo e corro.

Sto piangendo? Gridando? Un nome? Il suo nome?

L'eterna idea di Solitaire. Quel sogno d'infanzia.

Lui è morto? No. Vedo una sagoma indistinta levarsi nel fumo, agitandosi scompostamente prima di sparire all'interno della scuola. A un certo punto mi pare di sentire la sua voce che mi chiama, ma forse è solo la mia immaginazione.

Grido il suo nome e riprendo la corsa, fuori dalla nuvola di fumo, lontano dal corridoio di Scienze. Dietro l'angolo, le fiamme hanno raggiunto un'aula di Arte e le opere, ore e ore di lavoro, si stanno sciogliendo in globuli di acrilico fritto che gocciolano sul pavimento. È così triste che vorrei piangere, ma ci ha già pensato il fumo. Comincio ad andare nel panico. Non per l'incendio.

E neppure perché io sto perdendo e Solitaire sta vincendo.

Ma perché Michael è qui dentro.

Un altro corridoio. Un altro. Dove sono? Al buio e in un incendio, niente è uguale. Luci epilettiche guizzano intorno a me come sirene, come se stessi per perdere i sensi. Sfavillio di diamanti. Sto gridando di nuovo. *Michael Holden.* Il fuoco ruggisce e un uragano di aria calda avanza a tutta velocità lungo i tunnel della scuola.

Grido il suo nome. Continuo a chiamarlo, sto tremando così forte, i disegni e le tesine scritte a mano sulle pareti si stanno disintegrando intorno a me, e non riesco a respirare.

«Ho fallito». E dico queste parole nel momento stesso in cui le penso. Che buffo, non mi era mai capitato prima. «Ho fallito. Ho fallito». Il mio fallimento non riguarda la scuola. Neanche me stessa. Ma Michael. Sono stata un fallimento con lui. Non ho mai smesso di essere triste. Lui ci ha provato in tutti i modi, ha provato in tutti i modi a essere gentile, a essermi amico, e io l'ho deluso. Smetto di gridare. Ora non è rimasto più niente. Michael è morto, la scuola sta morendo, e io. Ora non rimane più niente.

Poi sento una voce.

Il mio nome nel fumo.

Mi giro di scatto, ma da quella parte ci sono solo fiamme. In quale edificio mi trovo? Deve esserci una finestra, un'uscita di sicurezza, qualcosa, ma sta bruciando tutto, il fumo comincia lentamente ad asfissiare l'aria e alla fine anche me, così, prima che mi renda conto di quanto sto facendo, sfreccio lungo una rampa di scale al primo piano, fumo e fiamme alle calcagna.

Svolto a sinistra, di nuovo a sinistra, a destra, entro in un'aula. La porta si chiude sbattendo alle mie spalle. Afferro una sedia, non penso a niente tranne al fuoco e al fumo e alla morte, e sfondo il vetro sottile della finestra. Chiudo gli occhi quando le schegge di vetro piovono sui miei capelli.

Mi arrampico fuori nell'aria del mattino e in cima a quello che sembra un tetto in cemento e finalmente, *finalmente*, capisco dove mi trovo.

Il mio bell'angoletto.

Il piccolo tetto in cemento dell'aula di Arte. Il campo coperto di neve e il fiume. Il cielo buio del mattino. Aria fredda. Spazio infinito.

Mille pensieri contemporaneamente. Michael Holden è in novecento di essi. Il resto è odio per me stessa.

Non sono riuscita a fare niente.

Guardo la finestra sfondata. Dove conduce? Solo al dolore. Guardo gli scalini di ferro alla mia destra. Dove conducono? Solo a me stessa, che continuo a fallire ogni volta nel tentativo di fare la cosa giusta, o dire la cosa giusta.

Sono sull'orlo e guardo giù. È distante. Mi chiama.

La speranza di qualcosa di meglio. Una terza possibilità.

Fa così caldo. Mi tolgo il cappotto e i guanti.

Allora di colpo capisco.

Non ho mai saputo cosa volevo dalla vita. Fino a questo momento.

Vorrei un po' essere morta.

Sedici

I miei piedi si avvicinano distrattamente all'orlo. Penso a Michael Holden. Soprattutto al fatto che dentro di sé cova una rabbia sorda. Credo che molta gente sia sempre arrabbiata dentro.

Penso a Lucas Ryan e mi intristisco ancora di più. Un'altra tragedia in cui non sono riuscita a salvare nessuno.

Penso alla mia ex migliore amica Becky Allen. Non credo di sapere chi sia in realtà. Forse lo sapevo prima, prima della nostra crescita; dopo, lei è cambiata e io no.

Penso a mio fratello, Charlie Spring, e a Nick Nelson. A volte il paradiso non è come la gente crede che sia.

Penso a Ben Hope.

A volte la gente odia se stessa.

E mentre sto pensando, lo Harvey Greene Grammar School si dissolve. I miei piedi sporgono leggermente dal tetto in cemento. Se cado accidentalmente, l'universo sarà lì ad afferrarmi.

E allora...

Allora eccolo lì.

Charlie Spring.

Un punto solitario nel bianco screziato di arancione.

Agita un braccio e grida.

«NON FARLO!».

Non farlo, dice.

E un'altra sagoma sta correndo insieme a lui. Più alta, più massiccia. Stringe la mano di Charlie. Nick Nelson.

Poi un'altra. E un'altra. Perché? Che gli prende a questa gente? Perché non ti lasciano mai in pace?

Ci sono Lucas e Becky. Becky si porta le mani alla bocca. Lucas mette le mani sulla testa. Charlie sta gridando e lotta con il vento e le fiamme. Urla, si agita, si ustiona.

«Ferma!».

Questa voce è più vicina e arriva dall'alto. Decido che probabilmente è Dio, perché penso che con Dio le cose vadano così. Aspetta finché arriva il tuo momento e *allora* interviene e ti prende sul serio. È come quando hai quattro anni e dici ai tuoi genitori che vuoi scappare di casa. E loro dicono: «Va bene, fai pure». Come se non gliene importasse. E comincia a importargliene solo quando esci davvero dalla porta di casa e te ne vai per strada con il tuo orsacchiotto sotto il braccio e un pacchetto di biscotti nello zainetto.

«Tori!».

Mi volto a guardare verso l'alto.

In cima all'edificio della scuola, sopra la finestra che ho sfondato, vedo Michael Holden, disteso sulla pancia sopra il tetto, così che da sotto riesco a vedere solo la testa e le spalle.

Allunga un braccio verso di me. «Ti prego!».

La sola vista di Michael mi fa desiderare di morire ancor di più. «La scuola sta bruciando», dico, voltandomi dall'altra parte. «Devi andartene».

«Tori, voltati. Voltati, razza di deficiente».

Qualcosa mi costringe a voltarmi. Tiro fuori la pila tascabile, chiedendomi perché non l'ho usata prima, e la dirigo verso l'alto. Allora lo vedo bene. I capelli arruffati e impolverati. La faccia macchiata di fuliggine. Il segno di un'ustione sul braccio teso.

«Vuoi suicidarti?», mi chiede, e quella domanda appare irreale, perché nella vita reale nessuno mai ti fa una domanda del genere.

272

«Non voglio che tu lo faccia», continua. «Non posso lasciartelo fare. Non puoi lasciarmi qui da solo».

La voce gli si spezza.

«Tu devi stare qui», mormora.

E poi fa una cosa che faccio anch'io. Tira indietro la bocca e i bordi si piegano all'ingiù, contrae gli occhi e il naso e una lacrima scende dall'angolo del suo occhio azzurro, mentre lui si copre la faccia con le mani.

«Mi dispiace», dico, perché il suo volto, tutto stropicciato e commosso, mi fa male fisicamente. Comincio a piangere anch'io. Mi allontano riluttante dal bordo del tetto e mi avvicino a lui, e spero che questo sia sufficiente a spiegargli. «Mi dispiace. Mi dispiace mi dispiace mi dispiace».

«Sta' *zitta*!». Adesso sorride tra le lacrime, come un folle, toglie le mani dal viso e solleva le braccia. Poi molla un pugno sul tetto. «Dio, che stupido. Non posso credere di non averlo capito prima. Non riesco a crederci».

Sono più o meno sotto la sua faccia. Gli occhiali cominciano a scivolargli dal naso e lui li spinge indietro con un gesto sciolto.

«Sai qual è la cosa peggiore? Quando ho buttato via quell'estintore che tenevi tra le braccia, non stavo pensando solo a salvare te». Ride con tristezza, sommessamente. «In realtà abbiamo bisogno tutti di essere salvati».

«Allora perché…». M'interrompo. Di colpo capisco tutto. Questo ragazzo. Questa persona. Com'è possibile che ci abbia messo così tanto a capire? Lui aveva bisogno di me quanto io di lui, perché era *arrabbiato*, ed è sempre stato arrabbiato.

«Tu volevi che la scuola bruciasse».

Lui ridacchia di nuovo e si strofina gli occhi. «Tu mi conosci».

E ha ragione. Io lo conosco. Solo perché uno sorride, non significa che sia felice.

«Non sono mai stato abbastanza bravo», dice. «Mi stresso da morire, non faccio amicizia… *Cristo*, non so fare amicizia». Gli si velano gli occhi. «A volte vorrei essere normale, ma non ce la faccio. Non ci riesco, per quanto ci provi. E poi ho visto la scuola che stava bruciando e ho pensato… che sarebbe potuta essere una via d'uscita. Pensavo che mi avrebbe fatto sentire meglio, e tu saresti stata meglio».

Ruota veloce per sedersi, le gambe penzolanti dal bordo a pochi centimetri dalla mia testa.

«Mi sbagliavo», conclude.

Mi volto a guardare il bordo dell'edificio. Nessuno è felice. Che cosa ci riserva il futuro?

«Certe persone non sono tagliate per la scuola», prosegue Michael. «Il che non significa che non siano tagliate per vivere».

«Non ce la faccio», dico. Il bordo è così vicino. «Non ce la faccio».

«Io voglio aiutarti».

«Perché?».

Salta giù sul tetto e mi guarda, ormai vicino. Mi guarda sul serio. Ricordo la prima volta in cui mi sono vista riflessa nei suoi occhiali fuori misura. La Tori che ora ricambia il mio sguardo mi appare diversa.

«Una persona può cambiare tutto», risponde. «E tu hai cambiato tutto per me».

Alle spalle di Michael esplode una piccola sfera di fuoco. Gli illumina brevemente le punte dei capelli, ma lui non batte ciglio.

«Tu sei la mia migliore amica».

Avvampa con un rossore repentino, e m'imbarazza vederlo imbarazzato. Si passa una mano sui capelli, in modo impacciato, si asciuga gli occhi. «Moriremo tutti. Un giorno. Quindi, per la prima volta voglio fare la cosa giusta, sai? Non *voglio* fare più errori. E so che questo non è un errore». Sorride. «Tu non sei un errore».

Si volta di scatto per guardare la scuola in fiamme.

«Forse avremmo potuto fermarli», aggiunge. «Forse... forse, se io non avessi...». La voce gli muore in gola e si porta una mano alla bocca, gli occhi di nuovo pieni di lacrime.

Questa è una sensazione nuova. O una molto antica.

Faccio qualcosa di impensabile, anche per me. Tendo una mano. Sollevo il braccio e mi avvicino a lui. Voglio assicurarmi della sua presenza. Voglio essere sicura di non averlo immaginato.

La mia mano gli sfiora la manica.

«Non devi odiarti», dico, perché so che lui si odia e non solo per aver lasciato bruciare la scuola. Si odia per un sacco di altri motivi. Invece non dovrebbe odiarsi. Non *deve*. È grazie a lui che ho capito che al mondo esistono delle brave persone. Non so come sia possibile, ma so che ho provato fin da subito questa sensazione. Quando ho conosciuto Michael Holden, ho subito sentito dentro di me che lui era una persona migliore di quanto chiunque avrebbe mai potuto sperare di essere, così perfetto da essere irreale. E in un certo senso l'ho detestato per questo. Invece di scoprire lentamente i suoi lati positivi, gli ho trovato un difetto dopo l'altro. E sapete una cosa? È per questo che mi piace ora. È per questo che è *veramente* perfetto. Perché è una persona vera.

Gli dico tutte queste cose.

«In ogni caso», continuo incerta su come concludere il discorso, ma sapendo di doverlo fare, «io non ti odierò mai. Forse potrei aiutarti a capire i motivi per cui non ti odierò mai».

Una pausa, il rumore del fuoco, l'odore di fumo. Lui mi guarda come se gli avessi sparato.

E poi ci baciamo.

Nessuno dei due è davvero sicuro che sia il momento giusto, con me che fino a un momento prima stavo per suicidarmi, e lui che si odia così tanto, ma comunque succede, e tutto finalmente acquista un senso, sento che per me sarebbe una catastrofe *non* essere qui con lui in questo momento, perché proprio ora... in questo momento... è come... è come... se – incredibilmente – avessi capito che morirei davvero se non... se non *lo stringessi a me*.

«Credo di essermi innamorato di te nel momento in cui ti ho conosciuta», dice quando ci separiamo. «Ma credevo fosse solo curiosità».

«Non solo questo è atrocemente falso», rispondo, con la sensazione di stare per svenire, «ma è anche la battuta romantica più *stupida* che abbia *mai* sentito. E ne ho sentite tante, dato che sono una vera calamita per i ragazzi».

Mi guarda di sottecchi. Sul suo volto spunta un sorriso e poi scoppia a ridere, rovesciando la testa all'indietro.

«Oddio, eccoti di nuovo, Tori», dice ridendo di cuore, attirandomi in un altro abbraccio e praticamente sollevandomi da terra. «Ommioddio».

Sento che sto sorridendo. Lo stringo e sorrido.

Improvvisamente fa un passo indietro, indica qualcosa verso l'esterno: «In nome di Guy Fawkes, cosa sta succedendo?».

Mi volto verso il campo, perplessa.

Il bianco della neve è sparito quasi del tutto. Ora i puntini non sono più quattro, ma almeno un centinaio, decine e decine di adolescenti. Non li abbiamo sentiti arrivare per via del vento e del fuoco, ma, quando vedono che ci siamo girati verso di loro, cominciano ad agitare le braccia e a gridare. Non riesco a vedere bene le facce, ma ciascuno di loro è una persona. Una persona con una vita, che si alza dal letto la mattina e va a scuola, parla con gli amici, mangia e vive. Scandiscono il nostro nome, non conosco la maggior parte di loro e la maggior parte di loro non conosce me, e non so neanche perché sono venuti qui, eppure... eppure...

In mezzo a loro vedo Charlie a cavalluccio di Nick e Becky sulle spalle di Lucas. Agitano le braccia e gridano.

«Io non...», comincio con voce spezzata, «capisco...».

Michael tira fuori di tasca il cellulare e carica il blog di Solitaire. Non mostra niente di nuovo. Poi carica Facebook e scorre i feed. «Ecco», mormora, e da sopra la sua spalla guardo lo schermo del cellulare.

Lucas Ryan
Solitaire brucia la Higgs .   32 minuti fa via Mobile
Piace a 94   *43 condivisioni*
Vedi tutti i 203 commenti

«Forse...», dice Michael. «Forse ha pensato... che la scuola che stava andando a fuoco... era troppo straordinario per sprecarlo».

Lo guardo e lui ricambia il mio sguardo.

«Non credi che sia un po' incredibile?», chiede.

E in un certo senso lo è. La scuola sta bruciando. Non sono cose che capitano nella vita reale.

«Lucas Ryan, maledetto hipster dei miracoli», continua Michael guardando la folla sottostante. «Senza volere hai dato il via a qualcosa di bello».

Qualcosa nel mio cuore mi fa sorridere. Un sorriso autentico.

E poi tutto diventa indistinto, e comincio a ridere e a piangere nello stesso momento, e non capisco se sono felice o completamente instabile. Perché sono come rannicchiata su me stessa e Michael deve chinarsi per stringere meglio il mio corpo tremante, eppure lo fa comunque. Cade la neve. Alle nostre spalle la scuola si sbriciola e sento i camion dei vigili del fuoco farsi strada attraverso la città.

«Quindi», dice inarcando maliziosamente le sopracciglia con

tipico garbo alla Michael. «Tu ti odi. Io mi odio. Abbiamo interessi comuni. Dovremmo stare insieme».

Non so perché, ma comincio a sentirmi piuttosto euforica. La vista di tutta quella gente in basso. Qualcuno sta saltando su e giù, agitando le braccia. Qualcuno è qui solo perché si è accodato per vivere un'avventura, ma una volta tanto non credo che nessuno di loro sia presuntuoso, o che stia fingendo. Si stanno solo comportando come esseri umani.

Insomma, non sono ancora sicura al cento per cento di volermi svegliare davvero domani mattina. Non è tutto a posto solo perché c'è Michael. Voglio ancora andare a letto e rimanerci tutto il giorno, perché è una cosa facilissima da fare. Però in questo momento vedo solo tutti questi ragazzi saltellare nella neve, che sorridono e agitano le braccia come se non dovessero preoccuparsi di esami e genitori, scelte universitarie e opzioni di carriera, e di un mucchio di altre cose stressanti. Accanto a me è seduto un tipo che ha capito tutto. Un tipo a cui forse posso dare una mano, come lui ha dato una mano a me.

Non posso dire di sentirmi *felice*. Non sono neppure sicura che me ne accorgerei, se lo *fossi*. Ma tutta questa gente qui sotto sembra così buffa e mi fa venir voglia di ridere e piangere, di ballare e cantare, e *non* di precipitare in un volo drammatico, spettacolare, giù da questo tetto. Davvero. È buffo perché è vero.

DOPO

KARL BENSON: Non ti vedevo, diciamo, dalle medie. Credevo ti fossi suicidato.
ANDREW LARGEMAN: Cosa?
KARL BENSON: Credevo ti fossi suicidato. Non eri tu?
ANDREW LARGEMAN: No, no, que-quello non ero io.

La mia vita a Garden State (Film, 2004)

Così, anche dopo aver riesaminato tutta la faccenda con grande attenzione, in realtà ancora non so bene come sia successo. Non sono traumatizzata, nulla di tanto drammatico. Non mi sento a pezzi, però non riesco a ricondurre quanto è accaduto a un giorno particolare, a un evento particolare, a una persona particolare. So solo che, una volta cominciato, è stato molto facile lasciare che continuasse. E immagino che è così che sono arrivata fino a questo punto.

Michael pensa che verrà interrogato dalla polizia. Probabilmente anch'io. E Lucas e Becky, immagino. C'eravamo tutti. Spero che non ci arresteranno. Non credo che Lucas racconterà cos'è successo veramente, anche se ora non penso di conoscere molto Lucas Ryan.

Nick, con sorprendente senso pratico, aveva detto che la cosa migliore da fare era dire ai miei di incontrarci in ospedale, così adesso siamo tutti e sei pigiati nella sua macchina: io, Michael, Lucas, Becky, Nick e Charlie. Becky è seduta in braccio a Lucas perché la macchina è una piccola Fiat. Credo che a Lucas Becky stia cominciando a piacere sul serio, in fondo lei ha fermato Ciuffo che teoricamente voleva sparargli. Continua a guardarla con un'espressione ridicola, e in qualche modo mi fa sentire un po' meno triste. Ovviamente lei non se n'è accorta.

Becky in realtà è una brava persona. Nonostante quello che a volte fa. Penso di averlo sempre saputo.

Sono seduta in mezzo. Mi risulta molto difficile concentrarmi su qualcosa, è come se pensassi nel dormiveglia. Cade la neve. Tutti i fiocchi sono perfettamente identici. Dalla radio della macchina suona una canzone dei Radiohead. Fuori tutto è blu scuro.

Dal sedile accanto al guidatore, Charlie telefona ai nostri genitori, ma non ascolto la conversazione. Dopo un po' attacca e rimane in silenzio per un minuto, mentre guarda il cellulare con aria assente. Poi solleva la testa e osserva il cielo del mattino, all'esterno.

«Victoria», dice, e io lo ascolto. Dice molte cose… cose che ti aspetti la gente dica in situazioni come questa, sull'amore e la comprensione, il sostegno, e l'esserci nel momento del bisogno, cose che a quanto sembra non vengono dette abbastanza, cose che di solito non hanno bisogno di essere dette. Non l'ascolto con molta attenzione, sono cose che già so. Nessuno parla mentre lui parla; guardiamo i negozi sfrecciare oltre il finestrino, ascoltando il ronzio dell'auto e il suono della sua voce. Quando ha finito si volta a guardarmi.

«Io me ne ero accorto», aggiunge. «Ma non ho fatto niente. Non ho fatto niente».

Sto già piangendo da un po'.

«Ti voglio bene lo stesso», rispondo con una voce che quasi non riconosco. Non ricordo se ho mai detto queste parole prima, nemmeno da piccola. Comincio a chiedermi come fossi in realtà all'epoca, e se per tutto questo tempo ho avuto un'immagine di me stessa completamente diversa. Lui mi regala un sorriso, bello e triste: «Anch'io ti voglio bene, Tori».

Michael decide di prendermi la mano e stringerla tra le sue.

«Vuoi sapere cos'ha detto papà?», dice Charlie, tornando a guardare oltre il parabrezza. Non si rivolge direttamente a me ma a tutti i presenti. «Ha detto che probabilmente è successo perché lui ha letto *Il giovane Holden* troppe volte quando aveva la nostra età, e che questo è stato assorbito dai suoi geni».

Becky sospira. «Cristo. È mai possibile che un adolescente non possa essere triste *senza* essere paragonato a quel libro?».

Lucas le sorride.

«Insomma, qualcuno l'ha mai *letto*?», chiede Becky.

Segue un coro unanime di «no». Neppure Lucas l'ha letto. Buffo.

Ascoltiamo la canzone dei Radiohead.

Provo un impulso fortissimo di saltar fuori dalla macchina. Penso che Michael sappia che voglio farlo. Forse anche Lucas. Charlie continua a lanciare occhiate allo specchietto retrovisore.

Dopo un po', Nick mormora: «Dove farai l'ultimo biennio, Charlie?». Non ho mai sentito Nick parlare così sottovoce.

Charlie risponde prendendogli la mano, e Nick stringe la leva del cambio così forte che le nocche sbiancano. «Truham. Rimarrò a Truham. Starò con te, no? E penso… penso che adesso un sacco di noi andranno a Truham». E Nick annuisce.

Con aria assonnata Becky appoggia la testa sulla spalla di Lucas.

«Non voglio andare in ospedale», sussurro a Michael nell'orecchio. In realtà è una mezza bugia.

Lui mi guarda e sembra più che dispiaciuto. «Lo so». Appoggia la testa sulla mia. «Lo so».

Lucas si agita sul sedile accanto a me. Guarda fuori dal finestrino gli alberi che oltrepassiamo sfrecciando e che diventano una macchia indistinta verde scuro. «Questi dovrebbero essere gli anni migliori della nostra vita», osserva.

Becky sbuffa sulla sua spalla. «Se questi sono gli anni migliori della mia vita, tanto vale farla finita subito».

L'auto accelera per superare la pendenza fino al ponte e poi veleggiamo sopra il fiume gelato. La terra gira di qualche centinaio di metri e il sole si avvicina lentamente all'orizzonte, preparandosi a diffondere la fioca luce invernale su quanto è rimasto di questa terra desolata. Dietro di noi, una colonna di fumo è penetrata nel cielo chiaro, oscurando le poche stelle rimaste che avevano cercato di far colpo.

Becky continua a borbottare, come se stesse parlando nel sonno.

«Comunque ora capisco. Volevano solo farci sentire di appartenere a qualcosa di *importante*. Fare colpo sul mondo. Perché, tipo, stiamo tutti aspettando che cambi qualcosa. La pazienza *può* uccidere». La sua voce si abbassa in un sussurro. «Aspettare… aspettare così a lungo…». Sbadiglia. «Ma un giorno finirà. Finisce sempre».

E a un certo punto tutti se ne stanno lì in silenzio a *pensare*, davvero. Tipo, come quando hai finito di guardare un film. Spegni la TV, lo schermo è nero, ma le immagini continuano a ripetersi in testa e pensi: e se quella fosse la mia vita? E se questo accadesse anche a me? Perché non ho lo stesso happy ending? Perché mi lamento dei *miei* problemi?

Non so cosa succederà alla nostra scuola e non so cosa succederà a noi. Non so quanto a lungo sarò così.

So solo che sono qui. E sono viva. E non sono sola.

Ringraziamenti

Un pubblico ringraziamento alla mia scuola! Senza di te questo libro non esisterebbe. Grazie per aver fatto in modo che ti odiassi e amassi, e per avermi sempre spinto all'autocritica. Mi hai cresciuto bene: con il disprezzo per l'autorità e con intrepidi livelli di pessimismo e ansia. Mi hai fatto combattere, accidenti.

Devo ringraziare l'incredibile e inarrestabile Claire Wilson per aver scelto il mio testo dalla pila di manoscritti degli esordienti e per non aver esitato quando mi sono presentata nel suo ufficio annunciando che avevo solo diciotto anni. Non avrei vissuto il mio sogno senza di te. Sarei una studentessa triste che scrive tesine su John Donne.

Devo anche ringraziare i miei due meravigliosi editor, Lizzie Clifford ed Erica Sussman. L'energia e l'entusiasmo che avete infuso in questo romanzo sono stati un miliardo di volte superiori alle mie attese, e il libro non avrebbe maturato neanche un decimo del suo valore senza la vostra inestimabile assistenza. Grazie a Lexie e a tutti gli altri del settore editoriale che mi hanno aiutato con il loro contributo, alla RCW e HarperCollins. Provo quotidiana gratitudine per essere finita in un mondo così sollecito e secchione.

Grazie alla mia famiglia, perché è sempre più interessante e meno scontrosa di quanto lei stessa creda. Grazie ai miei amici scrittori, per le appassionate discussioni alle tre di notte sull'ipotesi di avere una playstation per libri e su tutte le altre cose che facciamo per sentirci normali. Grazie ad Adam, perché è stato il mio primo lettore, e perché crede che io non sia completamente pazza (ti sbagli, io sono pazza).

Grazie a Emily, Ellen e Mel per non avermi mai abbandonata, per aver reso la scuola sopportabile e a volte persino piacevole, e perché sono veramente delle ottime persone. A loro e al resto del nostro gruppo – Hannah, Annie, Anna, Megan, Ruth –, vi voglio bene, vi voglio bene, vi voglio bene. Mi sconcerta pensare quanto sia fortunata ad avervi incontrato.

Alice

Indice